GERMAN LYRICS

Heinrich Heine.

GERMAN LYRICS

SELECTED AND EDITED
BY
Dr. PAUL VRIJDAGHS
AND
WALTER RIPMAN

LONDON & TORONTO
J. M. DENT & SONS LTD.

TREASURIES

OF GERMAN LITERATURE

No.

1. SIEGFRIED UND WALTHARI
2. ROSEGGER: DAS HOLZKNECHTHAUS UND DAS FELSENBILDNIS
3. GERMAN LYRICS
4. GERMAN BALLADS

PRINTED IN GREAT BRITAIN

INHALT

I. VOLKSDICHTUNG

II. DER LAUF DES JAHRES

III. DES TAGES LAUF

IV. DAS MEER

V. DER LIEBE LUST UND LEID

VI. KINDER UND ELTERN

VII. GLAUBE UND HOFFNUNG

VIII. LEBENSFREUDE UND LEBENSWEISHEIT

IX. VERGANGENHEIT UND TOD

X. VATERLAND—HEIMAT—WANDERSCHAFT

XI. DER SOLDAT

ZUM GELEIT

Ein kleines Lied

Ein kleines Lied, wie geht's nur an,
Daß man so lieb es haben kann,
Was liegt darin ? Erzähle !

Es liegt darin ein wenig Klang,
Ein wenig Wohllaut und Gesang
Und eine ganze Seele.

Marie von Ebner-Eschenbach

***

Gedichte sind gemalte Fensterscheiben !
Sieht man vom Markt in die Kirche hinein,
Da ist alles dunkel und düster ;
Und so sieht's auch der Herr Philister,[1]
Der mag denn wohl verdrießlich sein
Und lebenslang verdrießlich bleiben.

Kommt aber nur einmal herein !
Begrüßt die heilige Kapelle !
Da ist's auf einmal farbig helle :
Geschicht' und Zierat glänzt in Schnelle,[2]
Bedeutend wirkt ein edler Schein ;
Dies wird euch Kindern Gottes taugen,[3]
Erbaut euch [4] und ergötzt [5] die Augen !

Johann Wolfgang von Goethe

(1) Spießbürger, Mensch mit kleinlichen Auffassungen. In der Studentensprache bezeichnet dieses Wort den Bürger, der nie Student war. Im Alten Testament sind die *Philister* die Gegner des Judenvolkes. (2) Verstehe: Die in zierlichen Farben dargestellte Geschichte (Szene) steht gleich in hellem Glanze da. (3) Nützen. (4) Erhebt euch das Gemüt durch fromme Gedanken. (5) Erfreut.

I. VOLKSDICHTUNG

1. Lebe wohl

Morgen muß ich fort von hier,
Und muß Abschied nehmen;
O du allerschönste Zier,
Scheiden das bringt Grämen.
Hab' ich dich so treu geliebt,[1]
Über alle Maßen,
Soll ich dich verlassen.

Wenn zwei gute Freunde sind,
Die einander kennen,
Sonn' und Mond bewegen sich,
Ehe sie sich trennen.
Noch viel größer ist der Schmerz,
Wenn ein treu verliebtes Herz
In die Fremde ziehet.

Küsset dir ein Lüftelein
Wangen oder Hände,
Denke, daß es Seufzer sein,[2]
Die ich zu dir sende;
Tausend schick' ich täglich aus,
Die da wehen um dein Haus,
Weil ich dein [3] gedenke.

Volkslied

(1) Verstehe: obgleich ich dich so treu geliebt habe . . .
(2) Seien. (3) Gekürzte Form für *deiner*. Vergl. Vergiß-*mein*nicht..

2. Wenn ich ein Vöglein wär'

Wenn ich ein Vöglein wär'
Und auch zwei Flüglein hätt',
Flög' ich zu dir;
Weil's aber nicht kann sein,
Bleib' ich allhier.

Bin ich gleich weit von dir,[1]
Bin doch im Schlaf bei dir
Und red' mit dir;
Wenn ich erwachen tu',[2]
Bin ich allein.

Es geht kein' Stund' in der Nacht,
Da nicht mein Herz erwacht
Und dein gedenkt,
Daß du mir viel tausendmal
Dein Herz geschenkt.[3]

Volkslied

3. Treue Liebe

Ach, wie ist's möglich dann,
Daß ich dich lassen kann!
Hab' dich von Herzen lieb,
Das glaube mir!
Du hast die Seele mein
So ganz genommen ein,[4]

(1) *Ob* ich *gleich* (obgleich ich) weit von dir bin. (2) Wenn ich erwache. In der Volkssprache umschreibt man oft das Präsens und das Imperfekt mit *ich tu* und *ich tat* (auch *tät*)+Infinitiv, gerade wie im Englischen (I do, I did) in Negativsätzen. (3) Ergänze: geschenkt hast. In Nebensätzen wird das Hilfsverb (*haben* oder *sein*) nach einem zweiten Partizip im Vers häufig fortgelassen. (4) Eingenommen. In der Dichtersprache werden die üblichen Regeln der Trennbarkeit der Präfixe nicht beachtet.

Daß ich kein ander lieb'
Als dich allein.

Blau blüht ein Blümelein,
Das heißt Vergißnichtmein [1];
Dies Blümlein leg' ans Herz
Und denke mein!
Stirbt Blum' und Hoffnung gleich,
Wir sind an Liebe reich,
Denn die stirbt nie bei mir,
Das glaube mir!

Wär' ich ein Vögelein,
Wollt' ich bald bei dir sein,
Scheut' Falk und Habicht nicht,
Flög' schnell zu dir.
Schöss' mich ein Jäger tot,
Fiel' ich in deinen Schoß;
Sähst du mich traurig an,
Gern stürb' ich dann.

Volkslied

4. Der Schweizer [2]

Zu Straßburg auf der Schanz'
Da ging mein Trauern an [3]:
Das Alphorn hört' ich drüben wohl anstimmen,[4]
Ins Vaterland mußt' ich hinüberschwimmen,
Das ging nicht an.[5]

(1) Siehe S. 1, Anm. 3. (2) Im Mittelalter, und auch später, bildeten sich viele Schweizer Mietstruppen. Daher der franz. Ausdruck: *pas d'argent, pas de Suisses*. Der Papst hat heutzutage noch eine Schweizergarde. (3) Fing . . . an. (4) Im Volkslied muß manchmal, wenn es der Rhythmus erfordert, der natürlichen Betonung Gewalt angetan werden. In *anstimmen* ist die zweite Silbe zu betonen. (5) Das war verboten.

Eine Stunde in der Nacht
Sie haben mich gebracht ;
Sie führten mich gleich vor des Hauptmanns Haus,
Ach Gott, sie fischten mich im Strome auf,
Mit mir ist's aus.

Frühmorgens um zehn Uhr
Stellt man mich vor das Regiment ;
Ich soll da bitten um Pardon,
Und ich bekomm' gewiß dann meinen Lohn,
Das weiß ich schon.

Ihr Brüder allzumal,
Heut' seht ihr mich zum letztenmal ;
Der Hirtenbub' war doch nur schuld daran,
Das Alphorn hat mir solches angetan,
Das klag' ich an.

Volkslied

5. Die Loreley [1]

Ich weiß nicht, was soll es bedeuten,
Daß ich so traurig bin ;
Ein Märchen aus alten Zeiten,
Das kommt mir nicht aus dem Sinn.

Die Luft ist kühl, und es dunkelt,
Und ruhig fließt der Rhein ;
Der Gipfel des Berges funkelt
Im Abendsonnenschein.

(1) *Die Loreley* oder *Lurlei* ist eine 132 m. hohe Felsmasse, welche etwas südlich von Sankt-Goarshausen steil auf dem rechten Rheinufer emporragt und früher für die Schiffahrt sehr gefährlich war. Das Heinesche Lied und die Melodie von Silcher sind allgemein bekannt. Beim Passieren des Felsens wird das Lied auf den Vergnügungsdampfern von den Fahrgästen wie selbstverständlich immer wieder angestimmt.

Die schönste Jungfrau sitzet
Dort oben wunderbar,
Ihr goldnes Geschmeide [1] blitzet,
Sie kämmt ihr goldenes Haar.

Sie kämmt es mit goldenem Kamme
Und singt ein Lied dabei ;
Das hat eine wundersame,
Gewaltige Melodei.

Den Schiffer im kleinen Schiffe
Ergreift es mit wildem Weh ;
Er schaut nicht die Felsenriffe,
Er schaut nur hinauf in die Höh'.

Ich glaube, die Wellen verschlingen
Am Ende Schiffer und Kahn ;
Und das hat mit ihrem Singen
Die Lorelei getan.

Heinrich Heine

6. Der Wirtin Töchterlein

Es zogen drei Bursche [2] wohl über den Rhein,
Bei einer Frau Wirtin, da kehrten sie ein :

" Frau Wirtin, hat Sie [3] gut [4] Bier und Wein ?
Wo hat Sie ihr schönes Töchterlein ? "

" Mein Bier und Wein ist frisch und klar.
Mein Töchterlein liegt auf der Totenbahr'."

(1) Aus Gold geschmiedete Schmucksachen. (2) *Bursch(e)* (junger Mann, Geselle) ist jetzt immer schwach zu deklinieren. (3) *Er* und *Sie* wurden früher viel in der Anrede gebraucht und wurden dann groß geschrieben. Friedrich der Große *erzte* all seine Untertanen. (4) Die sächliche Adjektivendung *-es* fehlt oft wegen des Versmaßes, besonders im Volkslied.

Und als sie traten zur Kammer hinein,
Da lag sie in einem schwarzen Schrein.

Der erste, der schlug den Schleier zurück
Und schaute sie an mit traurigem Blick:

" Ach, lebtest du noch, du schöne Maid!
Ich würde dich lieben von dieser Zeit."

Der zweite deckte den Schleier zu
Und kehrte sich ab und weinte dazu:

" Ach, daß du liegst auf der Totenbahr!
Ich hab' dich geliebet so manches Jahr."

Der dritte hub [1] ihn wieder sogleich
Und küßte sie auf den Mund so bleich:

" Dich liebt' ich immer, dich lieb' ich noch heut',
Und werde dich lieben in Ewigkeit."

Ludwig Uhland

7. Das zerbrochene Ringlein

In einem kühlen Grunde [2]
Da geht ein Mühlenrad,
Mein Liebchen ist verschwunden,
Die dort gewohnet hat.

Sie hat mir Treu' versprochen,
Gab mir ein'n Ring dabei,
Sie hat die Treu' gebrochen:
Das Ringlein sprang entzwei.

(1) Die übliche Form ist jetzt *hob*. (2) Tale.

Ich möcht' als Spielmann reisen
Weit in die Welt hinaus
Und singen meine Weisen
Und gehn von Haus zu Haus.

Ich möcht' als Reiter fliegen
Wohl in die blut'ge Schlacht,
Um stille Feuer [1] liegen
Im Feld bei dunkler Nacht.

Hör' ich das Mühlrad gehen,
Ich weiß nicht, was es will —
Ich möcht' am liebsten sterben ;
Dann wär's auf einmal still !

Joseph von Eichendorff

8. Es ist bestimmt in Gottes Rat

Es ist bestimmt in Gottes Rat,[2]
Daß man vom Liebsten, was man hat,
Muß scheiden ;
Wiewohl doch nichts im Lauf der Welt
Dem Herzen, ach ! so sauer fällt,[3]
Als Scheiden ! ja Scheiden !

So dir geschenkt ein Knösplein was,[4]
So tu' es in ein Wasserglas —
Doch wisse :
Blüht morgen dir ein Röslein auf,
Es welkt wohl noch die Nacht darauf ;
Das wisse ! ja wisse !

(1) Bivakfeuer. (2) Gott hat es so gewollt. *Bestimmt,* festgesetzt. *Rat,* (hier) Wille, Entschluß. (3) So schmerzlich vorkommt. Vergl. : *Es fiel mir schwer, ihm die traurige Nachricht zu überbringen.* (4) Wenn dir ein Knösplein geschenkt war. *Was,* ältere Form von *war.*

Und hat dir Gott ein Lieb beschert [1]
Und hältst du sie recht innig wert, [2]
Die Deine —
Es werden wohl acht Bretter sein,
Da legst du sie, wie bald ! hinein ;
Dann weine ! ja weine !

Nur mußt du mich auch recht verstehn,
Ja recht verstehn !
Wenn Menschen auseinander gehn,
So sagen sie : Auf Wiedersehn !
Ja Wiedersehn !

Ernst von Feuchtersleben
(*nach einem Volksliede*)

(1) Zugeteilt, geschenkt. (2) *Wert halten,* liebhaben.

II. DER LAUF DES JAHRES

1. Die Sorglichen

Im Frühling, als der Märzwind ging,
Als jeder Zweig voll Knospen hing,
Da fragten sie mit Zagen [1] :
Was wird der Sommer sagen ?

Und als das Korn in Fülle stand,
In lauter Sonne briet [2] das Land,
Da seufzten sie und schwiegen :
Bald wird der Herbstwind fliegen.

Der Herbstwind blies die Bäume an [3]
Und ließ auch nicht ein Blatt daran.
Sie sah'n sich an : Dahinter
Kommt nun der böse Winter.

Das war nicht eben falsch gedacht,[4]
Der Winter kam auch über Nacht.[5]
Die armen, armen Leute,
Was sorgen sie [6] nur heute ?

Sie sitzen hinterm Ofen still
Und warten, ob's nicht tauen will,
Und bangen sich und sorgen
Um morgen.

Gustav Falke

(1) *Mit Zagen*, furchstam, ängstlich. (2) Imperfekt von *braten*. (3) Die Vorsilbe *an* stellt das *Blasen* wie einen Angriff dar. (4) So kam es auch wirklich. *Eben*, gerade. (5) Noch dieselbe Nacht. (6) Um was kümmern oder beängstigen sie sich.

2. Zum neuen Jahre

Wie heimlicherweise
Ein Engelein leise
Mit rosigen Füßen
Die Erde betritt,
So nahte der Morgen.
Jauchzt ihm, ihr Frommen,
Ein heilig [1] Willkommen!
Ein heilig Willkommen,
Herz, jauchze du mit!

In Ihm [2] sei's begonnen,
Der Monde und Sonnen
An blauen Gezelten [3]
Des Himmels bewegt.
Du Vater, du rate,
Lenke du und wende!
Herr, dir in die Hände
Sei Anfang und Ende,
Sei alles gelegt!

Eduard Mörike

3. Er ist's

Frühling läßt sein blaues Band
Wieder flattern durch die Lüfte;
Süße wohlbekannte Düfte
Streifen [4] ahnungsvoll [5] das Land.
Veilchen träumen schon,
Wollen balde kommen.

(1) Siehe S. 5, Anm. 4. (2) In Seinem (d. h. Gottes) Namen. (3) An der blauen Himmelskuppel ("dome"). *Gezelt* steht in gehobenem Stil für *Zelt* ("tent"). (4) Leise im Vorübergehen berühren. (5) So daß man davon viel *ahnen* (erwarten, erhoffen) kann.

— Horch', von fern ein leiser Harfenton !
Frühling, ja du bist's !
Dich hab' ich vernommen !

Eduard Mörike

4. Frühlingsglaube

Die linden Lüfte sind erwacht,
Sie säuseln und weben [1] Tag und Nacht,
Sie schaffen an allen Enden.[2]
O frischer Duft, o neuer Klang !
Nun, armes Herze, sei nicht bang !
Nun muß sich alles, alles wenden.

Die Welt wird schöner mit jedem Tag,
Man weiß nicht, was noch werden mag,
Das Blühen will nicht enden.
Es blüht das fernste, tiefste Tal :
Nun, armes Herz, vergiß der Qual [3] !
Nun muß sich alles, alles wenden.

Ludwig Uhland

5. Der Frühling ist ein starker Held !

Der Frühling ist ein starker Held,
Ein Ritter sondergleichen ;
Die rote Ros' im grünen Feld,
Das ist sein Wappen und Zeichen.

Sein Schwert vom Sonnenglanze schwang
Er kühn und unermüdet,
Bis hell der silberne Panzer sprang,
Den sich der Winter geschmiedet.

(1) Sich fortwährend regen, wie beim *Weben*. (2) Sie verrichten überall ihre Arbeit. (3) *Vergessen* regierte früher den Genitiv. Vergl. Vergiß*mein*nicht.

Und nun mit triumphierendem Schall
Durchzieht er Land und Wogen ;
Als Herold kommt die Nachtigall
Vor ihm dahergeflogen.

Und rings erschallt an jedes Herz [1]
Sein Aufruf allerorten,
Und hüllt' es sich in dreifach Erz,[2]
Es muß ihm öffnen die Pforten ;

Es muß ihm öffnen die Pforten dicht [3]
Und darf sich nimmer entschuld'gen
Und muß der Königin,[4] die er verficht,[5]
Der Königin Minne,[6] huld'gen.

Emanuel Geibel

6. Frühlingseinzug

Die Fenster auf ! Die Herzen auf !
Geschwinde, geschwinde !
Der alte Winter will heraus,
Er trippelt ängstlich durch das Haus ;
Er windet bang sich in der Brust [7]
Und kramt zusammen [8] seinen Wust [9] ;
Geschwinde, geschwinde !

Die Fenster auf ! Die Herzen auf !
Geschwinde, geschwinde !

(1) Akkusativ, denn *erschallt* bedeutet *richtet sich schallend.* (2) Verstehe : und wenn das Herz sich auch in dreifaches Erz (d. h. in die kälteste Gleichgültigkeit) hüllte. *Erz* bedeutet hier eiserner Panzer. Nach Horaz : *robur et aes triplex.* (3) Die bisher geschlossenen Pforten. (4) *Huldigen* regiert den Dativ. (5) Deren Herold er ist. *Verfechten* (z. B. eine Meinung), kämpfend verteidigen. (6) *Die Minne* ist der altertümliche Ausdruck für *zarte Liebe.* In der Ritterpoesie ist sie personifiziert als *Frau Minne.* (7) Krümmt sich vor Angst. (8) Packt hastig zusammen. (9) Wirre Sachen, Schmutz.

Er spürt den Frühling vor dem Tor,
Der will ihn zupfen [1] bei dem Ohr,
Ihn zausen an dem weißen Bart
Nach solcher wilden Buben Art;
Geschwinde, geschwinde!

Die Fenster auf! Die Herzen auf!
Geschwinde, geschwinde!
Der Frühling pocht und klopft ja schon,
Horcht, horcht! es ist sein lieber Ton;
Er pocht und klopfet, was er kann,
Mit kleinen Blütenknospen an;
Geschwinde, geschwinde!

Die Fenster auf! Die Herzen auf;
Geschwinde, geschwinde!
Und wenn ihr noch nicht öffnen wollt,
Er hat viel Dienerschaft im Sold, [2]
Die ruft er sich zur Hilfe her
Und pocht und klopfet immer mehr;
Geschwinde, geschwinde!

Die Fenster auf! Die Herzen auf!
Geschwinde, geschwinde!
Es kommt der Junker Morgenwind,
Ein pausebackig [3] rotes Kind,
Und bläst, daß alles klingt und klirrt,
Bis seinem Herrn geöffnet wird;
Geschwinde, geschwinde!

Die Fenster auf! Die Herzen auf!
Geschwinde, geschwinde!
Es kommt der Ritter Sonnenschein,
Der bricht mit goldnen Lanzen ein;

(1) *Zupfen* (und *zausen*), pflückend ziehen, zerren (an Haar oder Kleidern). (2) In seinem Dienst. (3) *Pausbackig* (oder *-bäckig*), mit dicken Backen.

Der sanfte Schmeichler Blütenhauch [1]
Schleicht durch die engsten Ritzen [2] auch ;
Geschwinde, geschwinde !

Die Fenster auf ! Die Herzen auf !
Geschwinde, geschwinde !
Zum Angriff schlägt die Nachtigall,[3]
Und horch' und horch', ein Wiederhall
Ein Wiederhall aus meiner Brust !
Herein, herein, du Frühlingslust ;
Geschwinde, geschwinde !

Wilhem Müller

7. Morgenlied im Frühling

" Wer schlägt so rasch an die Fenster mir
Mit schwanken [4] grünen Zweigen ? "
Der junge Morgenwind ist hier
Und will sich lustig zeigen.

" Heraus, heraus, du Menschensohn ! "
So ruft der kecke [5] Geselle ;
" Es schwärmt [6] von Frühlingswonnen schon
Vor deiner Kammerschwelle.

" Hörst du die Käfer summen nicht ?
Hörst du das Glas nicht klirren,
Wenn sie, betäubt von Duft und Licht,
Hart an die Scheiben schwirren ? [7]

" Die Sonnenstrahlen stehlen sich
Behende durch Blätter und Ranken [8]

(1) Frühlingswind. (2) Spalten, Risse. (3) Die Nachtigall ist wie der Trompeter des anstürmenden Frühlingsheeres. (4) *Schwank*, lang und biegsam. (5) Übermütige. (6) Es wimmelt wie ein *Schwarm* (" swarm ") Bienen. (7) " Buzz." Hier: schwirrend heranfliegen; daher der Akkusativ: die Scheiben. (8) *Die Ranke* ist ein sich schwingender Gewächsteil ; " tendrils."

Und necken auf deinem Lager dich
Mit blendendem Schweben und Schwanken.

" Die Nachtigall ist heiser fast,
So lang hat sie gesungen,
Und weil du sie gehört nicht hast,
Ist sie vom Baum gesprungen.

" Da schlug ich mit dem leeren [1] Zweig
An deine Fensterscheiben ;
Heraus, heraus in des Frühlings Reich !
Es wird nicht lange mehr bleiben ! "

Wilhelm Müller

8. Das Frühlingsmahl

Wer hat die weißen Tücher
Gebreitet über das Land ?
Die weißen, duftenden Tücher
Mit ihrem grünen Rand ?

Und hat darüber gezogen
Das hohe, blaue Zelt,
Darunter den bunten Teppich
Gelagert [2] über das Feld ?

Er ist es selbst gewesen
Der gute, reiche Wirt
Des Himmels und der Erden,[3]
Der nimmer ärmer wird.

Er hat gedeckt die Tische
In seinem weiten Saal
Und ruft, was lebet und webet,[4]
Zum großen Frühlingsmahl.

(1) Weil die Nachtigall, die drauf saß, ihn verlassen hat. (2) Ausgebreitet. (3) Ein Rest der früheren schwachen Deklination bei weiblichen Substantiven. Vergl.: auf Reis*en*, unter der Sonn*en*, auf Erd*en*, usw. (4) Siehe S. 11, Anm. 1.

Wie strömt's aus allen Blüten
Herab von Strauch und Baum!
Und jede Blüt' ein Becher
Voll süßer Düfte Schaum.

Hört ihr des Wirtes Stimme?
Heran, was kriecht und fliegt,
Was geht und steht auf Erden,
Was unter den Wogen sich wiegt!

Und du, mein Himmelspilger,
Hier trinke trunken dich,
Und sinke selig nieder
Aufs Knie und denk' an mich!

Wilhelm Müller

9. Frühling

Was rauschet, was rieselt,[1] was rinnet so schnell?
Was blitzt in der Sonne? was schimmert so hell?
Und als ich so fragte, da murmelt der Bach:
"Der Frühling, der Frühling, der Frühling ist wach!"

Was knospet, was keimet,[2] was duftet so lind?
Was grünet so fröhlich? Was flüstert im Wind?
Und als ich so fragte, da rauscht' es im Hain[3]:
"Der Frühling, der Frühling, der Frühling zieht ein!"

Was klinget, was klaget, was flötet so klar?
Was jauchzet, was jubelt so wunderbar?
Und als ich so fragte, die Nachtigall schlug:
"Der Frühling, der Frühling!" — Da wußt' ich genug.

Heinrich Seidel

(1) Fließt mit leisem Rauschen. (2) *Der Keim,* "germ."
(3) Poetisch für Wald.

10. Frühlingsarbeit

Der Frühling kommt ins Land herein,
Das überschneit noch liegt und weiß ;
Er sagt : " Bald soll es anders sein ! "
Ein Hauch — da schmelzen Schnee und Eis.

Er sagt : " So kahl ist noch die Flur,[1]
Ob auch schon [2] warm die Sonne schien.
Grün hab' ich gern ! " — Er lächelt nur,
Da färbt sich Wald und Wiese grün.

Er sagt : " Ich lieb's ein wenig bunt,
Zu einfach grün ist mir die Au." [3]
Gleich stickt er in den grünen Grund
Die Blumen, weiß, rot, gelb und blau.

Er sagt : " Zu still ist noch mein Reich.
Ihr Vöglein, singt im grünen Wald ! "
Da singen Fink und Amsel [4] gleich,
Daß laut es von den Zweigen schallt.

Wie hat's der Frühling schön gemacht !
Schon springen Rosen auf am Strauch,
Und alles draußen singt und lacht. —
Nun geh' hinaus und freu' dich auch !

Johannes Trojan

11. O Welt, du bist so wunderschön !

Nun bricht aus allen Zweigen
Das maienfrische Grün,
Die ersten Lerchen steigen,
Die ersten Veilchen blüh'n ;

(1) Der Acker. *Der (Haus)flur*, " vestibule." (2) *Obschon* ist hier getrennt. Vergl. S. 2, Anm. 1. (3) Wiese. Erscheint in vielen Ortsnamen : Grünau, Ilmenau, usw. (4) " Blackbird."

Und golden liegen Tal und Höh'n —
O Welt, du bist so wunderschön
Im Maien[1] !

Und wie die Knospen springen,
Da regt sich's allzumal ;
Die muntern Vögel singen,
Die Quelle rauscht ins Tal[2] ;
Und freudig schallt das Lustgetön :
O Welt, du bist so wunderschön
Im Maien !

Wie sich die Bäume wiegen
Im lieben Sonnenschein !
Wie hoch die Vögel fliegen !
Ich möchte hinterdrein,
Möcht' jubeln über Tal und Höh'n :
O Welt, du bist so wunderschön
Im Maien !

Julius Rodenberg

12. Rosenzeit

Wenn die wilden Rosen blüh'n
An des Feldes Rand,
Frischgemähtes Wiesengrün
Duftet durch das Land,
Wenn in stillen Waldesgründen
Sich die roten Beeren ründen
Und die Sommerzeit verkünden,
Wenn der Himmel blaut so weit,
O du schöne Rosenzeit !

Hell und warm ist nun die Nacht,
Länger wird der Tag,
Daß er all der Schönheit Pracht
In sich fassen mag.

(1) Schwache Dativform. In der Prosa bleiben die Namen der Monate unverändert : die erste Hälfte des *Mai*. (2) Talwärts, den Berg herunter.

Frühling ist noch nicht gegangen,
Sommer hat schon angefangen,
Beide hold vereinigt prangen,[1]
Herbst und Winter sind noch weit,
O du schöne Rosenzeit!

Ja, in Rosen steht die Welt,
Aber ahnungsbang [2]
Rauschet durch das Ährenfeld
Schon ein fremder Klang:
Bald ertönt der Erntereigen,[3]
Und die Rose wird sich neigen,
Und die Vögel werden schweigen.
Ach wie bald, dann liegst du weit—
O du schöne Rosenzeit!

Heinrich Seidel

13. Sommerlied

Sommerblumen auf der Heide,
Goldner Sonne höchster Stand,
Tiefe Stille,
Nur die Grille [4]
Zirpt noch an der Felsenwand.

Bunte Schmetterlinge fliegen
Um die schwarze Tannenkluft,[5]
Rosen blühen
Und versprühen [6]
Ihren märchenhaften Duft.

Weit sich die Gebirge dehnen
In der Lüfte blauem Schein,

(1) Glänzen in voller Pracht. (2) Wie eine bange Ahnung (Vorempfinden). (3) Der Gesang beim Reigen (Rundtanz) des Erntefestes. (4) "Cricket." (5) Das mit Tannen bewachsene tiefe Felsental. *Die Kluft*, "cleft, ravine." (6) Verbreiten in Fülle.

Und die blanken
Felsenflanken
Glüh'n wie Gold und Edelstein.

Eduard Paulus

14. Kornrauschen

Bist du wohl im Kornfeld schon gegangen,
Wenn die vollen Ähren überhangen,[1]
Durch die schmale Gasse dann inmitten
Schlanker Flüsterhalme hingeschritten ?
Zwang dich nicht das heimelige [2] Rauschen,
Stehn zu bleiben und darein [3] zu lauschen ?
Hörtest du nicht aus den Ähren allen
Wie aus weiten Fernen Stimmen hallen ?
Klang es drinnen nicht wie Sichelklang ?
Sang es drinnen nicht wie Schnittersang ?
Hörtest nicht den Wind du aus den Höh'n
Lustig sausend da die Flügel [4] dreh'n ?
Hörtest nicht die Wasser aus den kühlen
Tälern singen dir von Rädermühlen ?
Leis', ganz leis' nur hallt das und verschwebt,
Wie im Korn sich Traum mit Traum verwebt
In ein Summen [5] wie von Orgelklingen,
Drein ihr Danklied die Gemeinden singen.[6]
Rückt die Sonne dann der Erde zu,
Wird im Korne immer tiefre Ruh',
Und der liebe Wind hat's eingewiegt,
Wenn die Mondnacht schimmernd drüber liegt.
Wie von warmem Brot ein lauer Duft
Zieht mit würz'gen [7] Wellen durch die Luft.

Ferdinand Avenarius

(1) Vornüber hangen, sich neigen. *Über* ist zu betonen. (2) Nicht fremd, vertraut. (3) Als wenn der Lauschende in das Rauschen hineinlauschte um es besser zu vernehmen. (4) Mühlenflügel. (5) Gerade wie im Korn die vielen traumhaften Geräusche sich zu einem Summen vermischen. (6) Worein die Kirchengemeinden (die Gläubigen) einstimmen. (7) *Würzen*, "spices." *Würzig*, nach Gewürz riechend oder schmeckend.

15. Mittags-Angst im Walde

Wie totenstill der Mittag auf der Schneise ![1]
Ich lehn' im Grase, selber totenstill,
Das Pfauenauge[2] geistert[3] wild und leise.
Lautlos der Käfer steigt durch Laub und Müll.[4]

Und dann auf einmal kommt die Angst geschlichen,
Ich spür' es grausend : Ich bin nicht allein,
Zwei Augen unverwandt und unverwichen
Starren von irgendwo . . . o Gott, nein, nein ! !

O Gott, ich kann die Angst nicht von mir scheuchen,[5]
Ich fühl' es eisig rieseln im Genick :[6]
Die Hagedise[7] neugiert aus den Sträuchen,
Lidlos[8] das Auge, bernsteingelb der Blick . . .

Da kam der Falter, flügelschlaggetragen,[9]
Saß[10] auf mein Knie und sog am Tropfen Taus,
Und wie er groß die blauen Augen aufgeschlagen,
Da losch der Blick der Hexe jählings[11] aus.

Börries von Münchhausen

(1) *Eine Schneise* ist ein ausgehauener Weg oder Steig im Walde. (2) Ein Falter (Schmetterling) mit augenförmigen Flecken auf den Flügeln. (3) Flattert wie ein *Geist* umher. (4) Weiche, staubartige Erde. (5) Fortjagen. *Scheu,* furchtsam. (6) Ich fühle wie der Schauder mich kalt überläuft, als wenn mir kaltes Wasser am Rücken herunterrieselte. (7) Der übliche Name ist *die Eidechse.* (8) Starr, ohne Augenlider. (9) Vom Flügelschlag getragen. Vergl. : mondbeglänzt, traumverloren, usw. und unser *weather-beaten.* (10) Bedeutet hier *setzte sich.* Daher der Akkusativ *mein Knie.* (11) Plötzlich.

16. Herbstbeginn

Es geht zum Herbst; die Luft wird seltsam blaß,
Die reifen Äpfel fallen dumpf ins Gras,
Die Störche suchten längst den Wanderpfad,
Die Nacht wird kalt und Allerseelen [1] naht.
Bald stirbt das Laub, und so kommt eins zum andern.
— Mein lieber Freund, wann müssen wir wohl wandern?

Karl Busse

17. Herbsttag

Herr, es ist Zeit. Der Sommer war sehr groß.
Leg' deinen Schatten auf die Sonnenuhren.
Und auf den Fluren laß die Winde los.

Befiehl den letzten Früchten voll zu sein;
Gib ihnen noch zwei südlichere Tage,
Dränge sie zur Vollendung hin [2] und jage
Die letzte Süße in den schweren Wein.[3]

Wer jetzt kein Haus hat, baut sich keines mehr,
Wer jetzt allein ist, wird es lange bleiben,
Wird wachen, lesen, lange Briefe schreiben
Und wird in den Alleen hin und her
Unruhig wandern, wenn die Blätter treiben.[4]

Rainer Maria Rilke

18. Herbstlied

Feldeinwärts flog ein Vögelein
Und sang im hellen Sonnenschein
Mit süßem, wunderbarem Ton:
" Ade! ich fliege nun davon.
Weit! weit!
Reis' ich noch heut'."

(1) Der zweite November, der Tag der Toten. (2) Beschleunige ihr Reifwerden. (3) In die reifen Trauben. (4) Im Winde herumtreiben, herumwirbeln.

Ich horchte auf den Feldgesang,
Mir ward so wohl und doch so bang,
Mit frohem Schmerz, mit trüber Lust
Stieg wechselnd bald und sank die Brust [1]:
Herz! Herz!
Brichst du vor Wonn' oder Schmerz?

Doch als ich Blätter fallen sah,
Da sagt' ich: "Ach! der Herbst ist da,
Der Sommergast, die Schwalbe, zieht,
Vielleicht so [2] Lieb' und Sehnsucht flieht
Weit! weit!
Rasch mit der Zeit."

Doch rückwärts kam der Sonnenschein,
Dicht zu mir drauf das Vögelein,
Es sah mein tränend Angesicht
Und sang: "Die Liebe wintert nicht,
Nein! nein!
Es ist und bleibet Frühlingsschein!"

Ludwig Tieck

19. Die Schwalben

Die Schwalben halten zwitschernd
Hoch auf dem Turme Rat;
Die älteste spricht bedenklich:
"Der Herbst hat sich genaht.

Schon färben sich die Blätter,
Die Felder werden leer;
Bald tanzt kein einzig Mücklein
Im Strahl der Sonne mehr.

(1) Verstehe: Bald stieg und sank wechselnd meine Brust, d. h. bald atmete ich schwer vor Freude und Angst zugleich. (2) Ebenfalls.

Seid ihr zur Reise fertig ?
Die alten zwitschern " Ja ! "
Die jungen fragen lustig :
" Wohin ? "—" Nach Afrika ! "

Nun schwirrt es [1] durch die Lüfte,
Verlassen steht das Nest ;
Doch alle hält die Liebe
An ihrer Heimat fest.

Wohl ist's viel hundert Meilen
Von hier bis Afrika ;
Doch, kommt der Sommer wieder,
Sind auch die Schwalben da !

Julius Sturm

20. Herbst

Schon ins Land der Pyramiden
Floh'n die Störche übers Meer ;
Schwalbenflug ist längst geschieden,[2]
Auch die Lerche singt nicht mehr.

Seufzend in geheimer Klage
Streift der Wind das letzte Grün,
Und die süßen Sommertage,
Ach, sie sind dahin, dahin.

Nebel hat den Wald verschlungen,
Der dein stillstes Glück gesehn ;
Ganz in Duft und Dämmerungen
Will die schöne Welt vergehn.

Nur noch einmal bricht die Sonne
Unaufhaltsam durch den Duft,
Und ein Strahl der alten Wonne
Rieselt [3] über Tal und Kluft.

(1) Schnurrt es. Man hört das Rauschen ihrer Flügel.
(2) Vorbei. (3) Als wenn es eine Flüssigkeit wäre.

Und es leuchten Wald und Heide,
Daß man sicher glauben mag,
Hinter allem Winterleide
Lieg' [1] ein ferner Frühlingstag.

Theodor Storm

21. Am Herbst

Was rauscht zu meinen Füßen so?
Es ist das falbe Laub vom Baum!
Wie stand er jüngst so blütenfroh [2]
Am Waldessaum!

Was ruft zu meinen Häupten [3] so?
Der Vogel ist's im Wanderflug,
Der noch vor kurzem sangesfroh
Zu Neste trug.

Mein ahnend Herz, was pochst du so?
Du fühlst den Pulsschlag der Natur,
Und daß verwehen wird also
Auch deine Spur!

Heinrich Seidel

22. Herbstgold

Wie war's im Walde
Heut' wunderhold,[4]
Die Wipfel alle
Von rotem Gold!

Golden der Boden,
Golden der Duft,
Fallende Blätter
Von Gold aus der Luft!

(1) Konjunktiv der Unwirklichkeit, weil der Dichter nur anführt, was die Leute glauben mögen. (2) Fröhlich blühend. Vergl. weiter: *sangesfroh*. (3) Über mir. (4) *Hold*, anmutig, lieblich.

Und es leuchtet
Aus Tod und Vergehn
Golden die Hoffnung
Aufs Auferstehn.

Ferdinand Avenarius

23. Winternacht

Verschneit liegt rings die ganze Welt,
Ich hab' nichts, was mich freuet,
Verlassen steht der Baum im Feld,
Hat längst sein Laub verstreuet.

Der Wind nur geht bei stiller Nacht
Und rüttelt [1] an dem Baume,
Da rührt er seinen Wipfel sacht
Und redet wie im Traume.

Er träumt von künft'ger Frühlingszeit,
Von Grün und Quellenrauschen,
Wo er im neuen Blütenkleid
Zu Gottes Lob wird rauschen.

Joseph von Eichendorff

24. Zauber der Winternacht

Winternacht,
Winterpracht!
Alles hell und schimmernd,
Rein wie Demant [2] flimmernd.
Winterpracht,
Winternacht!
Trotz der weiten Ferne
Scheinen nah' die Sterne.

Martin Greif

(1) Schüttelt kurz aber stark. (2) *Der Demant* (das *e* ist betont), der Diamant.

25. Weihnachtslied

Vom Himmel in die tiefsten Klüfte[1]
Ein milder Stern herniederlacht;
Vom Tannenwalde steigen Düfte
Und hauchen durch die Winterlüfte,
Und kerzenhelle[2] wird die Nacht.

Mir ist das Herz so froh erschrocken,
Das ist die liebe Weihnachtszeit!
Ich höre fernher Kirchenglocken
Mich lieblich heimatlich verlocken
In märchenstille Herrlichkeit.

Ein frommer Zauber hält mich wieder,
Anbetend, staunend muß ich stehn;
Es sinkt auf meine Augenlider
Ein goldner Kindertraum hernieder,
Ich fühl's, ein Wunder ist geschehn.

Theodor Storm

26. Weihnachten

Ein Bäumlein grünt im tiefen Tann,[3]
Das kaum das Aug' erspähen kann;
Dort wohnt es in der Wildnis Schoß
Und wird gar heimlich schmuck[4] und groß.

Der Jäger achtet nicht darauf,
Das Reh springt ihm vorbei im Lauf;
Die Sterne nur, die alles sehn,
Erschauen auch das Bäumlein schön.

Da, mitten in des Winters Graus,
Erglänzt es fromm im Elternhaus.
Wer hat es hin mit einem Mal
Getragen über Berg und Tal?

(1) Siehe S. 19, Anm. 5. (2) Mit Kerzen erleuchtet.
(3) *Der Tann*, der weite Tannenwald. (4) Schön.

Das hat der heil'ge Christ getan.
Sieh dir nur recht das Bäumlein an!
Der unsichtbar heut' eingekehrt,
Hat manches Liebe dir beschert.[1]

Martin Greif

27. Zur Jahreswende

Mit keinem Blümlein schmückt die Flur
Das Fest der Jahresneige,[2]
In kahle Felder schaust du nur
Und auf entlaubte Zweige.

Da ringsum mangelt jedes Grün,
So laß in dir es sprießen
Und Hoffnung auf ein neu Erblüh'n
Das alte Jahr beschließen!

Martin Greif

(1) Siehe S. 8, Anm. 1. (2) Des zu Ende neigenden Jahres.

III. DES TAGES LAUF

1. In der Frühe

Kein Schlaf noch kühlt das Auge mir,
Dort gehet schon der Tag herfür[1]
An meinem Kammerfenster.
Es wühlet mein verstörter Sinn
Noch zwischen Zweifeln her und hin
Und schaffet[2] Nachtgespenster.
— Ängste, quäle
Dich nicht länger, meine Seele!
Freu' dich! schon sind da und dorten
Morgenglocken wach geworden.

Eduard Mörike

2. Am Morgen

Horch', wie der Wind im Baum sich regt,
Horch', wie das Vöglein draußen schlägt;
Die Sonn' ist ja schon längst herauf
Und scheint so hell! Steh' auf! Steh' auf!

Die Blumen stehn so klar im Tau,
So lustig ist's auf grüner Au.[3]
Das Bächlein geht so muntern Schritt,
Auf, komm heraus und freu dich mit!

Johannes Trojan

(1) Hervor. (2) *Schaffen* (*schuf, geschaffen*), hervorrufen, bilden. (3) Wiese.

3. Morgengang

Das wird ein Tag der Gnade
Für Blume, Blatt und Strauch ;
Ganz kerzengrade Pfade
Nimmt heut der blaue Rauch.

Die Gräser an den Wegen
Sind schwer vom Morgentau.
Ich zieh' dem Licht entgegen
Über die blühende Au.

Karl Busse

4. Mittagszauber

Im Garten wandelt hohe Mittagszeit,[1]
Der Rasen glänzt, die Wipfel schatten breit [2] ;
Von oben sieht, getaucht in Sonnenschein
Und leuchtend Blau, der alte Dom herein.

Am Birnbaum sitzt mein Töchterchen im Gras ;
Die Märchen liest sie, die als Kind ich las.
Ihr Antlitz glüht, es zieh'n durch ihren Sinn
Schneewittchen, Däumling, Schlangenkönigin.

Kein Laut von außen stört ; 's ist Feiertag —
Nur dann und wann vom Turm ein Glockenschlag !
Nur dann und wann der mattgedämpfte Schall
Im hohen Gras von eines Apfels Fall !

Da kommt auf mich ein Dämmern [3] wunderbar ;
Gleichwie im Traum verschmilzt, was ist und war :
Die Seele löst sich und verliert sich weit
Ins Märchenreich der eignen Kinderzeit.

Emanuel Geibel

(1) Die Strahlen der Mittagssonne ziehen durch den Garten. (2) Verbreiten weithin Schatten. (3) *Das Dämmern* oder *die Dämmerung* ist das Halbdunkel unmittelbar vor Aufgang oder nach Untergang der Sonne. Hier : träumerische Gedanken und unbestimmte Erinnerungen.

5. Die Luft so still . . .

Die Luft so still und der Wald so stumm
An dieser bewachsenen Halde,[1]
Ein grüngewölbtes Laubdach ringsum,
Ein Wiesental unten am Walde;

Wildblühende Blumen sprießen umher,
Rings fließen süße Düfte,
Ohne Rauschen raget der Bäume Meer
Hoch in die sonnigen Lüfte;

Nur Amselschlag, einsam und weit,
Und Falkenschrei aus der Höhe,
Und nichts Lebendiges weit und breit
Als im Waldtal grasende Rehe.

Natur, in dein Leben, still und kühl,
Liege ich selig versunken;
Ein süßes Kindermärchengefühl
Macht mir die Sinne trunken.

Wolfgang Müller

6. Abseits [2]

Es ist so still, die Heide liegt
Im warmen Mittagssonnenstrahle,
Ein rosenroter Schimmer fliegt
Um ihre alten Gräbermale [3];
Die Kräuter blüh'n, der Heideduft
Steigt in die blaue Sommerluft.

(1) Abhang eines Berges oder Hügels. (2) Storm schildert hier die Heidelandschaft seiner schleswigschen Heimat. Als Dichter seiner Heimat erscheint er uns auch in dem Gedicht *Die Stadt* (Seite 143). (3) Grabmale aus vorgeschichtlicher Zeit, die auf der Heide verstreut liegen.

Laufkäfer hasten durchs Gesträuch
In ihren goldnen Panzerröckchen,
Die Bienen hängen Zweig um Zweig [1]
Sich an der Edelheide Glöckchen [2];
Die Vögel schwirren aus dem Kraut —
Die Luft ist voller [3] Lerchenlaut.

Ein halbverfallen niedrig Haus
Steht einsam hier und sonnbeschienen;
Der Kätner [4] lehnt zur Tür hinaus,
Behaglich blinzelnd [5] nach den Bienen;
Sein Junge auf dem Stein davor
Schnitzt Pfeifen sich aus Kälberrohr.[6]

Kaum zittert durch die Mittagsruh'
Ein Schlag der Dorfuhr, der entfernten;
Dem Alten fällt die Wimper zu,
Er träumt von seinen Honigernten.
— Kein Klang der aufgeregten [7] Zeit
Drang noch in diese Einsamkeit.

Theodor Storm

7. Requiem [8]

Vom blühenden Lager hebt sich der Wind.
Er rührt an den Baum,
Da zittern die Ästchen,
Er legt einen Traum
Dem Vogel ins Nestchen
Von Ländern, die immer voll Sonne sind.

(1) An jedem Zweig. (2) An den glockenförmigen Blümchen des Heidekrautes. (3) Als Prädikat und nach dem Substantiv steht *voller* oft anstatt *voll,* wenn noch eine Ergänzung folgt. (4) Auch *Kötner,* Bewohner einer *Kate* oder *Kote* (Bauernhäuschen). (5) Mit halbgeschlossenen Augenlidern sehend. (6) Eine Art Rohr (" reed "). (7) Ruhelosen. Dänemark und Preußen kämpften damals um den Besitz Schleswigs. (8) Lateinisches Anfangswort eines Kirchengesanges für die Seelenruhe eines Verstorbenen. *Requies*=Ruhe.

Es zieht eine große Stille herauf . . .
Die Sonne verglimmt
Mit purpurnem Strahle,
Und leise stimmt
Das Glöcklein im Tale
Sein Liedchen an — der Abend wacht auf.

Anna Ritter

8. Abenddämmerung

Am blassen Meeresstrande
Saß ich gedankenbekümmert und einsam.
Die Sonne neigte sich tiefer und warf
Glührote Streifen auf das Wasser,
Und die weißen, weiten Wellen,
Von der Flut gedrängt,
Schäumten und rauschten näher und näher —
Ein seltsam Geräusch, ein Flüstern und Pfeifen,
Ein Lachen und Murmeln, Seufzen und Sausen,
Dazwischen ein wiegenliedheimliches Singen —
Mir war, als hört' ich verschollne [1] Sagen
Uralte, liebliche Märchen,
Die ich einst als Knabe
Von Nachbarskindern vernahm,
Wenn wir am Sommerabend
Auf den Treppensteinen der Haustür
Zum stillen Erzählen niederkauerten [2]
Mit kleinen, horchenden Herzen
Und neugierklugen Augen,
Während die großen Mädchen
Neben den duftenden Blumentöpfen
Gegenüber am Fenster saßen,
Rosengesichter,
Lächelnd und mondbeglänzt.

Heinrich Heine

(1) *Verschollen,* Partizip von *verschallen,* verklingen. Sagen, die längst vergessen sind. (2) *Kauern,* " crouch."

9. Abendlied

Augen, meine lieben Fensterlein,
Gebt [1] mir schon so lange holden Schein,
Lasset freundlich Bild um Bild herein :
Einmal werdet ihr verdunkelt sein !

Fallen einst die müden Lider zu,
Löscht ihr aus, dann hat die Seele Ruh' ;
Tastend streift sie ab [2] die Wanderschuh',
Legt sich auch in ihre finstre Truh'.[3]

Noch zwei Fünklein sieht sie [4] glimmend stehn
Wie zwei Sternlein, innerlich zu sehn,
Bis sie schwanken und dann auch vergehn,
Wie von eines Falters Flügelwehn.[5]

Doch noch wandl' ich auf dem Abendfeld,
Nur dem sinkenden Gestirn gesellt [6] ;
Trinkt, o Augen, was die Wimper hält,[7]
Von dem goldnen Überfluß der Welt !

Gottfried Keller

10. Abendlied

Die Nacht ist wieder gangen,[8]
Die schwarzen Schleier hangen
Nun über Busch und Haus
Leis' rauscht es in den Buchen,
Die letzten Winde suchen
Die vollsten Wipfel sich zum Neste aus.

(1) Ergänze : ihr gebt . . . ihr lasset. (2) *Abstreifen*, ausziehen (z. B. von Handschuhen) ; eigentlich : " strip off." (3) *Die Truhe*, Holzkasten, (hier) Sarg. (4) Die Seele. (5) Bis der leiseste Hauch genügt um ihr Licht zu löschen. (6) Mit den erlöschenden Sternen als einzigen Begleitern. *Sich einem gesellen*, sich ihm als Gefährte anschließen. (7) Was ihr erfassen könnt. (8) (Ge)gangen, vorüber.

Noch einmal leis' ein Wehen,
Dann bleibt der Atem stehen
Der müden, müden Welt.
Nur noch ein zages [1] Beben
Fühl' durch die Nacht ich schweben,
Auf die [2] der Friede seine Hände hält.

Otto Julius Bierbaum

11. Abendsegen

Das ist des Abends Segen
Und seine stille Tat,
Daß Sturm und Kampf sich legen,
Wenn seine feuchten Schwingen [3]
Hinschatten [4] übern Pfad.

Das hat er vor dem Tage,[5]
Daß er des Herzens Drang,
Daß Sorgen er und Plage
Besänftigt [6] still mit mildem,
Mit süßem Schlafgesang,—

Daß er mit dichtem Schleier
Des Landmanns Pflug umhüllt,
Mit stiller Dankesfeier
Die Hütten und die Herzen
Allüberall erfüllt. . . .

Hans Benzmann

12. Feierabend

Weich singen aus den Dörfern schon die holden
Beschwingten [7] Glocken in das Abendland.
Der Himmel überm Wald hat purpurgolden
Sein samtumsäumtes Fahnentuch entspannt.

(1) Zögerndes. (2) Akkusativ, weil *halten* hier *hinhalten, hinstrecken* bedeutet. (3) Poetisch: Flügel, "pinions." (4) Ihren Schatten hinstrecken. (5) Dadurch ist er besser als der Tag . . . (6) Mildert (Stamm: *sanft*). (7) Beflügelten.

Auf blankem Flüßchen, das in Wiesen gleitet,
Schwimmt braunbesegelt noch ein Kahn nach Haus.
Und während Nacht mit Dämmerung noch streitet,
Tritt hutsam [1] aus dem Schilf ein Reh heraus.

Dann stehen Bäume, Sträucher, Segel, allmitsammen
Wie Schattenbilder schwarz im Abendrot.
Lächelnd beschauen sich die Himmelsflammen
Im Flusse, der im Goldglanz loht.[2]

Und wie das Reh mit argloser [3] Gebärde [4]
Den schlanken Nacken innig niederbeugt,
Ist mir's, als tränke so die ganze Erde
Beglückt den Frieden, den der Abend zeugt,[5]

Gerhard Ludwig Milau

13. Wandrers Nachtlied [6]

1780

Über allen Gipfeln [7]
Ist Ruh,
In allen Wipfeln
Spürest du
Kaum einen Hauch ;
Die Vöglein schweigen im Walde.
Warte nur, balde
Ruhest du auch.

Johann Wolfgang von Goethe

(1) Behutsam, umsichtig. (2) Flammt. (3) *Arglos*, ohne Arg, ohne Argwohn (schlimmes Vermuten). (4) *Die Gebärde*, " gesture ". Mit zwangloser Bewegung, weil es gar nichts befürchtet. (5) Erzeugt, hervorruft. (6) Am 6. September 1780 übernachtete Goethe in einem Bretterhäuschen (Schutzhütte für Wanderer) auf dem Kickelhahn, einem der höchsten, aussichtsreichsten Gipfel des Thüringerwaldes, südwestlich vom Städtchen Ilmenau. An die Holzwand schrieb er mit Bleistift dieses Lied. Das Häuschen brannte 1870 ab. Die neu errichtete Schutzhütte heißt Goethehäuschen. (7) Der Berg hat einen *Gipfel*, der Baum einen *Wipfel*.

14. Nachtbild

Längst wiegte schon die Nacht gelinde
In sanften Schlummer Wald und Flur;
Das leise Atmen nur der Winde
Verrät entschlafnen Lebens Spur.

Die Blumen blinzeln [1] in die Ferne
In zarter Träume Zauberbann [2]
Und schau'n die funkelnd hellen Sterne
Als holde Himmelsschwestern an.

Ludwig Fulda

15. Heidenacht

Wenn trüb das verlöschende letzte Rot
Herschimmert über die Heide,
Wenn sie liegt so still, so schwarz und tot,
So weit du nur schauest, die Heide,
Wenn der Mond steigt auf und mit bleichem Schein
Erhellt den granitnen Hünenstein,[3]
Und der Nachtwind seufzet und flüstert darein,
Auf der Heide, der stillen Heide;

Das ist die Zeit, dann mußt du gehn
Ganz einsam über die Heide,
Mußt achten still auf des Nachtwinds Wehn
Und des Mondes Licht auf der Heide.
Was nie du vernahmst durch Menschenmund,
Uraltes Geheimnis, es wird dir kund,[4]
Es durchschauert [5] dich tief in der Seele Grund
Auf der Heide, der stillen Heide.

Hermann Allmers

(1) Siehe S. 32, Anm. 5. Die Blumen sind halb geschlossen. (2) In der Zaubergewalt ihrer zarten Träume. (3) Steinblöcke die in sagenhafter Zeit von *Hünen* (Riesen) auf die Heide geschafft wurden. (4) Bekannt, deutlich. (5) Es durchzieht (durchbebt) dich wie ein *Schauer*, wie eine heilige Scheu.

16. Sternennacht

Von frischer Kühle angezogen
Verlass' ich spät die Tür,
Da wölbt der tieferblaute [1] Bogen [2]
Sich lockend über mir.

Der Mond aus leiser Nebelhülle
Streut sachten Glanz umher,
Der Höhen reine Ätherfülle [3]
Durchglüht ein Sternenheer.

Ein jeder Stern an seiner Stelle,
O welche hehre [4] Pracht,
Der Himmel strahlt in Zauberhelle,
Und doch ist tiefe Nacht.

Martin Greif

17. Trost der Nacht

Klage nicht, betrübtes Kind,
Klage nicht ums junge Leben,
Manche süße Lust verrinnt,[5]
Doch manch Leid auch wird sich geben.[6]

Ist der Tag so schön erwacht,
Mit der Morgenröte ferne —
Klage nicht: es hat die Nacht
Einen Himmel auch und Sterne.

Philipp Spitta

(1) Dunkelblau gewordene. (2) Himmelgewölbe. (3) Endlosen Raum des Äthers. (4) Herrliche, erhabene. (5) Verfließt, vergeht. (6) Wird verschwinden.

18. Nun Gute Nacht !

Nun gute Nacht !
Es gab so viel zu schauen ;
Das hat dem Kind die blauen
Guckäuglein [1] müd' gemacht.

Nun gute Nacht !
Die Blumen schaukeln im Winde,
Sie schlafen mit meinem Kinde,
Es schläft der Sonne Pracht.

Das Engelein hält Wacht !
Es regt die Flügel leise
Und singt eine heimliche Weise
Die ganze Nacht.

Victor Blüthgen

19. Nachtlied

Der Mond kommt still gegangen
Mit seinem goldnen Schein,
Da schläft in holdem Prangen [2]
Die müde Erde ein.

Im Traum die Wipfel weben,[3]
Die Quellen rauschen sacht ;
Singende Engel durchschweben
Die blaue Sternennacht.

Und auf den Lüften schwanken
Aus manchem treuen Sinn
Viel tausend Liebesgedanken
Über die Schläfer hin.

(1) Von gucken, "peep." (2) In lieblicher Schönheit. *Prangen*, in voller Pracht glänzen. (3) Siehe S. 11, Anm. 1.

Und drunten im Tale, da funkeln
Die Fenster von Liebchens Haus.
Ich aber blicke im Dunkeln
Still in die Welt hinaus.

Emanuel Geibel

20. Nachts

Ich stehe in Waldesschatten
Wie an des Lebens Rand,
Die Länder wie dämmernde Matten,[1]
Der Strom wie ein silbern Band.

Von fern nur schlagen die Glocken
Über die Wälder herein,
Ein Reh hebt den Kopf erschrocken
Und schlummert gleich wieder ein.

Der Wald aber rühret die Wipfel
Im Traum von der Felsenwand;
Denn der Herr geht über die Gipfel
Und segnet das stille Land.

Joseph von Eichendorff

21. Der Einsiedler[2]

Komm, Trost der Welt, du stille Nacht!
Wie steigst du von den Bergen sacht,
Die Lüfte alle schlafen;
Ein Schiffer nur noch, wandermüd',
Singt übers Meer sein Abendlied
Zu Gottes Lob im Hafen.

Die Jahre wie die Wolken gehn
Und lassen mich hier einsam stehn,

(1) Bergwiesen. Daher: Ander*matt*, Zer*matt*, usw.
(2) Klausner, einsamer Mensch.

Die Welt hat mich vergessen ;
Da tratst du wunderbar zu mir,
Wenn ich beim Waldesrauschen hier
Gedankenvoll gesessen.[1]

O Trost der Welt, du stille Nacht !
Der Tag hat mich so müd' gemacht,
Das weite Meer schon dunkelt ;
Laß ausruh'n mich von Lust und Not,
Bis daß das ew'ge Morgenrot
Den stillen Wald durchfunkelt.

Joseph von Eichendorff

22. An die Nacht

Komm, gütige Nacht, und hülle
In deinen Mantel mich,
Die müden Augen fülle
Mit schwerem Schlafe, sprich

Ins Ohr voll Muttergüte
Die Worte tiefer Ruh',
Decke mit Blatt und Blüte
Des Traums mein Sehnen [2] zu,

Laß mich die Pforten offen
Finden wie einst zum Glück,
Gib mir mein Kinderhoffen
Und Kraft zum Tag zurück !

Richard Schaukal

(1) Ergänze : gesessen *war*. (2) Mein Verlangen.

IV. DAS MEER

1. Das ist das Meer

Das ist das Meer ! wie groß, wie weit !
Wie hoch der Himmelsbogen !
Ein Schauer der Unendlichkeit
Weht auf den ewigen Wogen.

Das ist das Meer ! wie feierlich !
Ohn' Anfang, ohne Ende !
In stummer Andacht [1] neig' ich mich
Und falte meine Hände.

Karl Woermann

2. Der Gesang des Meeres

Wolken, meine Kinder, wandern gehen
Wollt ihr ? fahret wohl ! auf Wiedersehen !
Eure wandellustigen Gestalten
Kann ich nicht in Mutterbanden halten.[2]

Ihr langweilet euch auf meinen Wogen,
Dort die Erde hat euch angezogen :
Küsten, Klippen und des Leuchtturms Feuer.
Ziehet, Kinder ! geht auf Abenteuer !

Segelt, kühne Schiffer, in den Lüften !
Sucht die Gipfel ! ruhet über Klüften !

(1) *Die Andacht*, die anbetende Verehrung, die fromme Stimmung. (2) Bei mir behalten wie die Mutter ihre Kinder. *Das Band* (der Liebe, der Freundschaft, der Treue, usw.) hat in der Mehrzahl : die Bande.

Brauet[1] Stürme ! blitzet ! liefert Schlachten !
Traget glüh'nden Kampfes Purpurtrachten !

Rauscht im Regen ! murmelt in den Quellen !
Füllt die Brunnen ! rieselt in den Wellen !
Braust in Strömen durch die Lande nieder —
Kommet, meine Kinder, kommet wieder !

Conrad Ferdinand Meyer

3. Am Meer

Es rauscht und braust und wogt und bebt —
O Meer, ich hab' dich wieder !
Die Sonne goldene Schleier webt,
Und über dem Blau die Möwe schwebt
Mit leuchtendem Gefieder.

Es rauscht und braust und singt und sagt
Von fernen, glühenden Zonen,[2]
Wo der mähnenumwallte Löwe[3] jagt,
Wo die schlanke, schwankende Palme ragt
Hoch über des Urwalds Kronen.

Es rauscht und braust und klingt und spricht
Von eisumlagerter Küste.[4]
Es loht und flammt das rote Licht,
Es knirscht das Eis, die Scholle bricht,
Der Tod geht durch die Wüste.

Es rauscht und braust und klingt ein Lied
Von Sturm und Ungewitter.
Der kreischende Vogel zum Strande zieht,
Die Segel reißen, es kracht der Spriet,
Die Maste gehen in Splitter.

(1) *Brauen* bedeutet auch im Geheimen bewirken oder vorbereiten. (2) Gegenden. (3) Der Löwe, um dessen Kopf die lange Mähne wallt. (4) Von einer Küste, um die sich Eisschollen gelagert (festgesetzt) haben.

Es rauscht und braust und wogt und schlingt
Ums Land den ewigen Reigen.[1]
Und wenn des Meeres Woge klingt
Und ihre Zauberlieder singt,
Muß unsereiner[2] schweigen.

Rudolf Baumbach

4. Meeresabend

Sie hat den ganzen Tag getobt,[3]
Als wie in Zorn und Pein,
Nun bettet sich, nun glättet sich[4]
Die See und schlummert ein.

Und drüber zittert der Abendwind,
Ein mildes, heiliges Weh'n,
Das ist der Atem Gottes,
Der schwebet ob[5] den See'n.

Es küßt der Herr aufs Lockenhaupt
Die schlummernde See gelind
Und spricht mit säuselndem Segen :
Schlaf ruhig, wildes Kind !

Moritz von Strachwitz

5. Nun kommt der Sturm

Nun kommt der Sturm geflogen,
Der heulende Nordost,
Daß hoch in Riesenwogen
Die See ans Ufer tost.[6]

(1) Rundtanz. (2) Bescheidener Ausdruck für *ich* oder *wir*: Wir, schwache Menschen, z. B. : eine so teure Reise kann unsereiner sich nicht leisten. (3) Gewütet. (4) Wird *glatt*. (5) Veraltet: auf. (6) *Tosen*, toben, wüten.

Das ist ein rasend Gischen,[1]
Ein Donnern und ein Schwall,[2]
Gewölk und Abgrund mischen
All ihrer Stimmen Schall.

Und in der Winde Sausen
Und in der Möwe Schrei'n,
In Schaum und Wellenbrausen
Jauchz' ich berauscht[3] hinein.

Schon mein' ich, daß der Reigen
Des Meergotts[4] mich umhallt,[5]
Die Wogen seh' ich steigen
In grüner Roßgestalt.

Und drüben hoch im Wagen,
Vom Nixenschwarm[6] umringt,
Ihn selbst, den Alten, ragen,
Wie er den Dreizack[7] schwingt.

Emanuel Geibel

6. Die Möwe

In hoher Luft die Möwe zieht
Auf einsam stolzen Wegen,
Sie wirft mit todesmut'ger[8] Brust
Dem Sturme sich entgegen.

Er rüttelt sie, er zerrt[9] an ihr
In grausam wildem Spiele —
Sie weicht ihm nicht, sie ringt sich durch,[10]
Gradaus, gradaus zum Ziele.

(1) Schäumen. (2) An*schwell*ende Wassermasse. (3) Wie trunken (vor Freude, Bewunderung, usw.). (4) Neptuns. (5) Um mich her *hallt* (schallt). (6) Schwarm von Wassergöttinnen oder Nymphen. (7) Neptuns Zepter hatte drei *Zacken* (Spitzen). (8) Mutig dem Tod trotzender. (9) Siehe S. 13, Anm. 1. (10) Bahnt sich *ringend* ("wrestling," "struggling") ihren Weg.

O laß mich wie die Möwe sein,
Wie auch der Sturm mich quäle,
Nach hohem Ziel, durch Kampf und Not:
Gradaus, gradaus, o Seele!

Anna Ritter

7. Die Netzflickerinnen

Schweigend an den Dünen hin
Sitzen die Fischerfrauen und flicken [1]
Die schweren Netze. Guten Fang
Mag der Himmel den Männern schicken,

Guten Fang und gute See;
Manches Netz ist schon draußen geblieben,
Und manches Boot ohne Fischer und Fisch
Irgendwo an den Strand getrieben.

Die See macht still,[2] und karg [3] ist das Wort
Der Frauen, die dort im Sande sitzen,
Kurz wie der Schrei der Möwen, die
Ruhelos über die Dünen flitzen.[4]

Gustav Falke

(1) Ausbessern oder stopfen, was zerrissen war (von Strümpfen, Kleidern, Netzen). (2) Schweigsam. (3) Spärlich. *Wortkarg sein,* nicht viel reden. (4) Schnell vorbeischießen, wie Blitze.

V. DER LIEBE LUST UND LEID

1. Nähe des Geliebten

Ich denke dein,[1] wenn mir der Sonne Schimmer
    Vom Meere strahlt;
Ich denke dein, wenn sich des Mondes Flimmer
    In Quellen malt.

Ich sehe dich, wenn auf dem fernen Wege
    Der Staub sich hebt,
In tiefer Nacht, wenn auf dem schmalen Stege[2]
    Der Wandrer bebt.

Ich höre dich, wenn dort in dumpfem Rauschen
    Die Welle steigt.
Im stillen Haine[3] geh' ich oft zu lauschen,
    Wenn alles schweigt.

Ich bin bei dir, du seist auch noch so ferne,[4]
    Du bist mir nah!
Die Sonne sinkt, bald leuchten mir die Sterne.
    O, wärst du da!

Johann Wolfgang von Goethe

(1) Siehe S. 1, Anm. 3. (2) *Der Steg*, der schmale Fußweg oder die schmale Brücke aus Brettern. (3) Poetisch: Walde. (4) Und wenn du auch noch so ferne bist.

2. Klärchens Lied [1]

Freudvoll
Und leidvoll,
Gedankenvoll sein;
Hangen [2]
Und bangen
In schwebender Pein,[3]
Himmelhoch jauchzend,
Zum Tode betrübt,
Glücklich allein
Ist die Seele, die liebt.

Johann Wolfgang von Goethe

3. Gefunden

Ich ging im Walde
So für mich hin,[4]
Und nichts zu suchen,
Das war mein Sinn.

Im Schatten sah ich
Ein Blümchen stehn,
Wie Sterne leuchtend,
Wie Äuglein schön.

Ich wollt' es brechen,[5]
Da sagt' es fein:
“Soll ich zum Welken
Gebrochen sein?”

(1) In Goethes Schauspiel *Egmont* ist das vlämische Bürgermädchen Klärchen die Geliebte des Grafen Egmont, des brabantischen Edelmannes, der 1568 in Brüssel auf Alvas Befehl hingerichtet wurde. In diesem schlichten Liede drückt sie ihre Leidenschaft und ihre Angst vor der Zukunft aus. (2) *Hangen und bangen*, sprichwörtliche Redensart für bange Ungewißheit, für das Hin und Her der Stimmung. (3) In quälender Unsicherheit. (4) Ohne bestimmtes Ziel. (5) Abpflücken.

Ich grub's mit allen
Den Würzlein aus,
Zum Garten trug ich's
Am hübschen Haus.

Und pflanzt' es wieder
Am stillen Ort;
Nun zweigt es immer
Und blüht so fort.

Johann Wolfgang von Goethe

4. Erster Verlust

Ach, wer bringt die schönen Tage,
Jene Tag' der ersten Liebe,
Ach, wer bringt nur eine Stunde
Jener holden Zeit zurück!

Einsam nähr' ich meine Wunde,
Und mit stets erneuter Klage
Traur' ich ums verlorne Glück.

Ach, wer bringt die schönen Tage
Jener holden Zeit zurück!

Johann Wolfgang von Goethe

5. Schäfers Klagelied

Da droben auf jenem Berge
Da steh' ich tausendmal,
An meinem Stabe gebogen,
Und schaue hinab in das Tal.

Dann folg' ich der weidenden Herde,
Mein Hündchen bewahret mir sie.
Ich bin herunter gekommen
Und weiß doch selber nicht wie.

Da stehet von schönen Blumen
Die ganze Wiese so voll;
Ich breche sie, ohne zu wissen,
Wem ich sie geben soll.

Und Regen, Sturm und Gewitter
Verpass'[1] ich unter dem Baum.
Die Türe dort bleibet verschlossen;
Doch alles ist leider ein Traum.

Es stehet ein Regenbogen
Wohl über jenem Haus!
Sie aber ist weggezogen,
Und weit in das Land hinaus,

Hinaus in das Land und weiter,
Vielleicht gar über die See.
Vorüber, ihr Schafe, vorüber!
Dem Schäfer ist gar so weh.

Johann Wolfgang von Goethe

6. Des Mädchens Klage

Der Eichwald brauset, die Wolken zieh'n,
Das Mägdlein sitzet an Ufers Grün;
Es bricht sich die Welle mit Macht, mit Macht,
Und sie seufzt hinaus in die finstre Nacht,
Das Auge vom Weinen getrübet:

"Das Herz ist gestorben, die Welt ist leer,
Und weiter gibt sie dem Wunsche nichts mehr.[2]
Du Heilige, rufe dein Kind zurück,
Ich habe genossen das irdische Glück,
Ich habe gelebt und geliebet!" —

(1) Lasse ich an mir vorübergehen. (2) Sie (die Welt) kann mir keinen Wunsch mehr erfüllen.

"Es rinnet der Tränen vergeblicher Lauf,
Die Klage, sie wecket die Toten nicht auf;
Doch nenne, was tröstet und heilet die Brust
Nach der süßen Liebe verschwundener Lust,
Ich, die Himmlische, will's nicht versagen."[1] —

"Laß rinnen der Tränen vergeblichen Lauf!
Es wecket die Klage den Toten nicht auf!
Das süßeste Glück für die trauernde Brust
Nach der schönen Liebe verschwundener Lust
Sind der Liebe Schmerzen und Klagen."

Friedrich von Schiller

7. Ich kann's nicht fassen . . .

Ich kann's nicht fassen, nicht glauben,
Es hat ein Traum mich berückt[2];
Wie hätt' er doch unter allen
Mich Arme erhöht und beglückt?[3]

Mir war's, er habe gesprochen:
Ich bin auf ewig dein —
Mir war's — ich träume noch immer,
Es kann ja nimmer so sein!

O laß im Traume mich sterben,
Gewieget an seiner Brust,
Den seligsten Tod mich schlürfen
In Tränen unendlicher Lust!

Adalbert von Chamisso

8. Seit ich ihn gesehen

Seit ich ihn gesehen,
Glaub' ich blind zu sein,
Wo ich hin nur blicke,
Seh' ich ihn allein,

(1) Verweigern. (2) Genarrt, beirrt. (3) Wie hätte er mich so hoch erhoben und so glücklich gemacht?

Wie im wachen Traume
Schwebt sein Bild mir vor,
Taucht aus tiefstem Dunkel
Heller nur empor.

Sonst ist licht- und farblos [1]
Alles um mich her,
Nach der Schwestern Spiele
Nicht begehr' ich mehr,
Möchte lieber weinen
Still im Kämmerlein,
Seit ich ihn gesehen,
Glaub' ich blind zu sein.

Adalbert von Chamisso

9. Jugendliebe

Denkst du an den Sommertag,
Da wir früh uns fanden,
Und allein am grünen Hag [2]
Junge Rosen banden [3] ?

Lerchen in der blauen Luft
Sangen ungesehen,
Ferne lag der Morgenduft
Über allen Höhen.

Standen still uns zugewandt,
Mochten träumend scheinen [4] —
Wohl ich fühlte deine Hand
Manchmal in der meinen.

Plötzlich schlugst du auf den Blick,
Alles war gestanden [5] —
Sag', wohin ist Ruh' und Glück,
Seit wir dort uns fanden ?

Martin Greif

(1) Lichtlos und farblos. (2) Gebüsch, Garten. (3) Zum Strauß oder Kranz zusammenbanden. (4) Vielleicht sahen wir wie Träumende aus. (5) Wir hatten uns alles bekannt. *Gestehen, eingestehen* = bekennen.

10. Du bist wie eine Blume . . .

Du bist wie eine Blume
So hold und schön und rein;
Ich schau' dich an und Wehmut
Schleicht mir ins Herz hinein.

Mir ist, als ob ich die Hände
Aufs Haupt dir legen sollt',
Betend, daß Gott dich erhalte
So rein und schön und hold.

Heinrich Heine

11. Auf Flügeln des Gesanges

Auf Flügeln des Gesanges,
Herzliebchen, trag' ich dich fort,
Fort nach den Fluren des Ganges,[1]
Dort weiß ich den schönsten Ort.

Dort liegt ein rotblühender Garten
Im stillen Mondenschein,
Die Lotosblumen[2] erwarten
Ihr trautes[3] Schwesterlein.

Die Veilchen kichern[4] und kosen,[5]
Und schau'n nach den Sternen empor,
Heimlich erzählen die Rosen
Sich duftende Märchen ins Ohr.

Es hüpfen herbei und lauschen
Die frommen, klugen Gazell'n,
Und in der Ferne rauschen
Des heiligen Stromes Well'n.

(1) Nach der fruchtbaren Ebene des Gangesstromes in Indien. (2) Den Namen *Lotus* oder *Lotos* gab man verschiedenen ägyptischen und indischen Pflanzen, deren Frucht oder Geruch die Eigenschaft besaß, den Fremden seine Heimat vergessen zu machen. (3) Inniggeliebtes. (4) Lachen verstohlen. (5) Liebkosen, tun zärtlich.

Dort wollen wir niedersinken
Unter dem Palmenbaum
Und Liebe und Ruhe trinken
Und träumen seligen Traum.

Heinrich Heine

12. Du schönes Fischermädchen

Du schönes Fischermädchen,
Treibe den Kahn ans Land,
Komm zu mir und setze dich nieder,
Wir kosen Hand in Hand.

Leg' an mein Herz dein Köpfchen,
Und fürchte dich nicht zu sehr ;
Vertraust du dich doch sorglos
Täglich dem wilden Meer.

Mein Herz gleicht ganz dem Meere,
Hat Sturm und Ebb' und Flut,
Und manche schöne Perle
In seiner Tiefe ruht.

Heinrich Heine

13. Die blauen Frühlingsaugen

Die blauen Frühlingsaugen
Schau'n aus dem Gras hervor,
Das sind die lieben Veilchen,
Die ich zum Strauß erkor.[1]

Ich pflücke sie und denke,
Und die Gedanken all',
Die mir im Herzen seufzen,
Singt laut die Nachtigall.

(1) Erwählte. Von *erküren* (selten).

Ja, was ich denke, singt sie
Laut schmetternd,[1] daß es schallt,
Mein zärtliches Geheimnis
Weiß schon der ganze Wald.

Heinrich Heine

14. Kehr' ein bei mir!

Du bist die Ruh',
Der Friede mild,
Die Sehnsucht du
Und was sie stillt.

Ich weihe dir
Voll Lust und Schmerz
Zur Wohnung hier
Mein Aug' und Herz.

Kehr' ein bei mir
Und schließe du
Still hinter dir
Die Pforten zu.

Treib' andern Schmerz
Aus dieser Brust,
Voll sei dies Herz
Von deiner Lust.

Dies Augenzelt,[2]
Von deinem Glanz
Allein erhellt,
O füll' es ganz!

Friedrich Rückert

(1) Schrill tönend (namentlich von Trompeten). (2) Den ganzen Raum meines Blickes. Siehe S. 10, Anm. 3.

15. Er ist gekommen

Er ist gekommen
In Sturm und Regen,
Ihm schlug beklommen [1]
Mein Herz entgegen.
Wie konnt' ich ahnen,
Daß seine Bahnen
Sich einen sollten meinen Wegen?

Er ist gekommen
In Sturm und Regen.
Er hat genommen
Mein Herz verwegen.[2]

Nahm er das meine?
Nahm ich das seine?
Die beiden kamen sich entgegen.

Er ist gekommen
In Sturm und Regen.
Nun ist entglommen [3]
Des Frühlings Segen.
Der Freund zieht weiter,
Ich seh' es heiter,[4]
Denn er bleibt mein auf allen Wegen.

Friedrich Rückert

16. An die Entfernte

Diese Rose pflück' ich hier,
In der fremden Ferne;
Liebes Mädchen, dir, ach dir
Brächt' ich sie so gerne!

(1) Angstvoll. Von *beklemmen*. (2) Kühn, rücksichtslos. (3) Hat angefangen. (4) Ohne jede Angst.

Doch bis ich zu dir mag zieh'n
Vielc weite Meilen,
Ist die Rose längst dahin,
Denn die Rosen eilen.

Nie soll weiter sich ins Land
Lieb' von Liebe wagen,
Als sich blühend in der Hand
Läßt die Rose tragen,

Oder als die Nachtigall
Halme bringt zum Neste,
Oder als ihr süßer Schall
Wandert mit dem Weste.[1]

Nikolaus Lenau

17. Die Stille

Es weiß und rät es doch keiner,
Wir mir so wohl ist, so wohl!
Ach, wüßt' es nur einer, nur einer,
Kein Mensch es sonst wissen soll!

So still ist's nicht draußen im Schnee,[2]
So stumm und verschwiegen sind
Die Sterne nicht in der Höhe,
Als meine Gedanken sind.

Ich wünscht', es wäre schon Morgen,
Da fliegen zwei Lerchen auf,
Die überfliegen einander,
Mein Herze folgt ihrem Lauf.

(1) Mit dem Westwinde. Also nicht weiter als der Westwind die Töne eines Nachtigallenliedes mit sich nehmen kann. (2) In zwei Silben zu lesen, wegen des Reimes.

Ich wünscht', ich wäre ein Vöglein
Und zöge über das Meer,
Wohl über das Meer und weiter,
Bis daß ich im Himmel wär' !

Joseph von Eichendorff

18. Rosenzeit

Rosenzeit, wie schnell vorbei,
Schnell vorbei
Bist du doch gegangen !
Wär' mein Lieb' nur blieben treu,[1]
Blieben treu,
Sollte mir nicht bangen.

Um die Ernte wohlgemut
Wohlgemut
Schnitterinnen singen ;
Aber ach, mir krankem Blut,[2]
Mir krankem Blut,
Will's nicht mehr gelingen.

Schleiche so durchs Wiesental
So durchs Tal,
Als [3] im Traum verloren,
Nach dem Berg, da [4] tausendmal
Tausendmal
Er mir Treu' geschworen.[5]

Oben, auf des Hügels Rasen,[6]
Abgewandt
Wein' ich bei der Linde ;
An dem Hut mein Rosenband
Von seiner Hand
Spielet in dem Winde.

Eduard Mörike

(1) Treu geblieben. (2) Geschöpf. (3) Wie. (4) Wo. (5) Ergänze: geschworen *hat*. (6) *Der Rasen,* die mit Gras- und anderen Plflanzenwurzeln durchwachsene Erddecke.

19. Das verlassene Mägdlein

Früh, wann[1] die Hähne krähn,
Eh' die Sternlein verschwinden,
Muß ich am Herde stehn,
Muß Feuer zünden.

Schön ist der Flammen Schein,
Es springen die Funken,
Ich schaue so drein
In Leid versunken.

Plötzlich, da kommt es mir,[2]
Treuloser Knabe,
Daß ich die Nacht von dir
Geträumet habe.

Träne auf Träne dann
Stürzet hernieder,
So kommt der Tag heran —
O ging' er wieder[3]!

Eduard Mörike

20. Es hat nicht sollen sein![4]

Das ist im Leben häßlich eingerichtet,
Daß bei den Rosen gleich die Dornen stehn,
Und was das arme Herz auch sehnt und dichtet,
Zum Schlusse kommt das Voneinandergehn.
In deinen Augen hab' ich einst gelesen,
Es blitzte drin von Lieb und Glück ein Schein:
Behüt' dich Gott! es wär' zu schön gewesen,
Behüt' dich Gott, es hat nicht sollen sein!

(1) Dichterisch für *wenn*. (2) Da erinnere ich mich. (3) O wäre es wieder Nacht! (4) Dieses ist eins von den *Liedern Jung Werners* im *Trompeter von Säckingen,* der epischen Dichtung Scheffels. Werner Kirchhof, Sekretär und Trompeter des Freiherrn von Schönau im Schwarz-

Leid, Neid und Haß, auch ich hab' sie empfunden,
Ein sturmgeprüfter,[1] müder Wandersmann.
Ich träumt' von Frieden dann und stillen Stunden;
Da führte mich der Weg zu dir hinan.
In deinen Armen wollt' ich ganz genesen,[2]
Zum Danke dir mein junges Leben weih'n:
Behüt' dich Gott! es wär' zu schön gewesen,
Behüt' dich Gott, es hat nicht sollen sein!

Die Wolken flieh'n, der Wind saust durch die Blätter,
Ein Regenschauer zieht durch Wald und Feld,
Zum Abschiednehmen just [3] das rechte Wetter,
Grau wie der Himmel steht vor mir die Welt.
Doch wend' es sich zum Guten oder Bösen,
Du schlanke Maid, in Treuen [4] denk' ich dein!
Behüt' dich Gott! es wär' zu schön gewesen,
Behüt' dich Gott, es hat nicht sollen sein!

Victor von Scheffel

21. Mein Herz, ich will dich fragen . . .

Mein Herz, ich will dich fragen:
Was ist denn Liebe, sag'?
— "Zwei Seelen und ein Gedanke,
Zwei Herzen und ein Schlag!"

Und sprich, woher kommt Liebe?
—"Sie kommt, und sie ist da!"
Und sprich, wie schwindet Liebe?
— "Die war's nicht, der's geschah!" [5]

wald wirbt um die Hand der Tochter seines Herrn, mit der er sich schon heimlich verlobt hatte. Als der Vater sein Gesuch ablehnt, zieht er als Reiter auf die Wanderfahrt nach Rom. Seine Liebe aber spricht er in manchem Liede aus.

(1) Der sich in manchem Sturm bewährt hat, der manche schwere Prüfung bestanden hat. (2) Gesund (fig. wieder glücklich) werden. (3) Gerade. (4) Siehe S. 15, Anm. 3. (5) Verstehe: Die Liebe, der dieses geschah (nämlich, daß sie verschwand), war keine wahre Liebe.

Und was ist reine Liebe?
— "Die ihrer [1] selbst vergißt!"
Und wann ist Lieb' am tiefsten?
—"Wenn sie am stillsten ist."

Und wann ist Lieb' am reichsten?
— "Das ist sie, wenn sie gibt!"
Und sprich, wie redet Liebe?
— "Sie redet nicht, sie liebt."

Friedrich Halm

22. Du schüttelst die goldnen Locken

Du schüttelst die goldnen Locken
Vors holde Angesicht —
Dahinter glüht verstohlen
Der blauen Augen Licht.

Wie wenn durch Laub und Zweige
Ein Waldsee scheinet klar,
So leuchtet heimlicher Weise
Dein Aug' durchs goldne Haar.

Ich aber streiche die Locken
Aus deinem ros'gen Gesicht —
Da ist's, als wenn aus Wolken
Die liebe Sonne bricht.

Heinrich Seidel

23. Trost

So komme, was da kommen mag!
So lang du lebest, ist es Tag.
Und geht es [2] in die Welt hinaus,
Wo du mir bist, bin ich zu Haus.
Ich seh' dein liebes Angesicht,
Ich sehe die Schatten der Zukunft nicht.

Theodor Storm

(1) Siehe S. 11, Anm. 3. (2) Und führt mich mein Schicksal . . .

24. Fromm

Der Mond scheint auf mein Lager,
Ich schlafe nicht,
Meine gefalteten Hände ruhen
In seinem Licht.

Meine Seele ist still, sie kehrte
Von Gott zurück,
Und mein Herz hat nur einen Gedanken :
Dich und dein Glück.

Gustav Falke

25. Augenaufschlag

So schlägt des Falters [1] samtener Flügelglanz
Sich plötzlich auf, berauschend [2] in dunkler Pracht,
Wie du die Augen sehr schwermütig
Aufschlägst in tief erschütternder [3] Schönheit.

Wenn diese Sonnen über dem Alltag schwarz-
Umwimpert [4] aufgehn, werden die Knaben stumm,
Und werden Männer traurig vor dir,
Aber die Dichter knieen und beten,

Denn ihre Gottheit, welches die Schönheit ist,
Winkt ihnen ernst, und außer sich und betäubt [5]
Stehn sie und wissen doch, daß ihnen
Eben geschah, was anderen niemals !

Börries von Münchhausen

(1) Des Schmetterlings. (2) Siehe S. 45, Anm. 3. (3) *Erschüttern,* heftig und tief bewegen. (4) Von schwarzen Wimpern umschlossen. (5) Wie bewußtlos. Stamm : *taub.*

26. Ganz im Geheimen

Stehn vor den Leuten wir,
Sprichst du kein Wort zu mir,
Bleibst ach so stolz und fern
Und hast mich doch so gern —
Ganz im Geheimen.

Kommst du doch jede Nacht
Zu mir im Traum und sacht
Schlingst deinen Arm um mich,
Und ich, ich küsse dich —
Ganz im Geheimen.

Wenn's auch ein Traum nur ist,
Daß du mein Liebchen bist,
Bleib' nur im Traume mein
Und ich will selig sein —
Ganz im Geheimen.

Franz von Königsbrunn-Schaup

27. Frühlingsliebe

Ich will's dir nimmer sagen,
Wie ich so lieb dich hab',
Im Herzen will ich's tragen,
Will stumm sein wie ein Grab.

Kein Lied soll dir's gestehen,
Soll flehen um mein Glück:
Du selber sollst es sehen,
Du selbst — in meinem Blick.

Und kannst du es nicht lesen,
Was dort so zärtlich spricht,
So ist's ein Traum gewesen:
Dem Träumer zürne nicht!

Robert Prutz

28. O wär' ich so schön ...

O wär' ich so schön wie der leuchtende Tag,
Um meinem Schatz zu gefallen,
O wär ich so hold [1] wie die Rosen im Hag,[2]
Wär' ich die Schönste von allen!

Und säng' ich mein Lied so fröhlich, so frei,
Wie Nachtigallen im Haine.[3]
Und wär' ich so stolz wie die trutzigste Fei [4] —
Mich lieben müßt' er und keine.

Wohl bin ich Ärmste mir scheu [5] bewußt,
Daß Bess're sich vor ihm neigen,
Doch hab' ich ein jauchzendes Herz in der Brust,
Und das Herz, das Herz ist sein eigen!

Marie Stona

29. Trost

Und ist mein Schatz im fremden Land,
So soll mich das nicht kränken,
Und drückt er mir auch nicht die Hand,
So wird er an mich denken.

Denn der den Schwalben Heimweh gab
Und Nachtigallen Lieder,
Der führet ihn bergauf, bergab,
Der bringt ihn mir auch wieder.

Julius Stinde

(1) Lieblich. (2) Siehe S. 52, Anm. 2. (3) Poetisch: im Walde. (4) Die stolzeste Fee. Die übliche Form ist *trotzig*. (5) Mit einem Gefühl der Angst.

30. Februarschnee . . .

Februarschnee
Tut nicht mehr weh,
Denn der März ist in der Näh' !
Aber im März
Hüte das Herz,
Daß es zu früh nicht knospen will !
Warte, warte und sei still !
Und wär' der sonnigste Sonnenschein,
Und wär' es noch so grün auf Erden,
Warte, warte und sei still :
Es muß erst April gewesen sein,
Bevor es Mai kann werden !

Cäsar Flaischlen

VI. KINDER UND ELTERN

1. An meine Mutter B. Heine geb. van Geldern

I

Ich bin 's gewohnt, den Kopf recht hoch zu tragen,
Mein Sinn ist auch ein bißchen starr und zähe;
Wenn selbst der König mir ins Antlitz sähe,
Ich würde nicht die Augen niederschlagen.

Doch, liebe Mutter, offen will ich's sagen:
Wie mächtig auch mein stolzer Mut sich blähe,[1]
In deiner selig süßen, trauten Nähe
Ergreift mich oft ein demutvolles Zagen.[2]

Ist es dein Geist, der heimlich mich bezwinget,
Dein hoher Geist, der alles kühn durchdringet,
Und blitzend sich zum Himmelslichte schwinget?

Quält mich Erinnerung, daß ich verübet[3]
So manche Tat, die dir das Herz betrübet,
Das schöne Herz, das mich so sehr geliebet!

(1) *Sich blähen,* eigentlich: sich aufblasen, schwellen; hier: sich breit machen. (2) Ein Zögern und Zurückscheuen, gerade der Gegensatz zu Übermut. (3) Verstehe: daß ich so manche Tat verübt (habe). *Verüben* =tun, ausführen, wenn man von etwas Tadelhaftem spricht: ein Attentat, eine Missetat verüben.

II

Im tollen Wahn hatt' ich dich einst verlassen,
Ich wollte gehn die ganze Welt zu Ende
Und wollte sehn, ob ich die Liebe fände,
Um liebevoll die Liebe zu umfassen.

Die Liebe suchte ich auf allen Gassen,
Vor jeder Türe streckt' ich aus die Hände
Und bettelt' um geringe Liebesspende,[1] —
Doch lachend gab man mir nur kaltes Hassen.

Und immer irrte ich nach Liebe, immer
Nach Liebe, doch die Liebe fand ich nimmer,
Und kehrte um nach Hause, krank und trübe.

Doch da bist du entgegen mir gekommen,
Und ach! was da in deinem Aug' geschwommen,[2]
Das war die süße, langgesuchte Liebe.

Heinrich Heine

2. Meiner Mutter

Wie oft sah ich die blassen Hände nähen
Ein Stück [3] für mich — wie liebevoll du sorgtest!
Ich sah zum Himmel deine Augen flehen,
Ein Wunsch für mich — wie liebevoll du sorgtest!
Und an mein Bett kamst du mit leisen Zehen,[4]
Ein Schutz für mich — wie liebevoll du horchtest!
Längst schon dein Grab die Winde überwehen,[5]
Ein Gruß für mich — wie liebevoll du sorgtest!

Detlev von Liliencron

(1) *Eine Spende,* eine Gabe. (2) Verstehe: was ich in deinen tränenvollen Augen schweben sah. (3) Ein Kleidungsstück. (4) Leise auf den Zehenspitzen gehend. (5) Verstehe: wehen die Winde schon über dein Grab.

3. Die feinen Ohren

(meiner mutter)

Du warst allein,
Ich sah durchs Schlüsselloch
Den matten Schein
Der späten Lampe noch.

Was stand ich nur und trat nicht ein?
Und brannte [1] doch,
Und war mir doch, es müßte sein,[2]
Daß ich noch einmal deine Stirne strich
Und zärtlich flüsterte: Wie lieb' ich dich!

Die alte böse Scheu,
Dir ganz mein Herz zu zeigen,
Sie quält mich immer neu.
Nun lieg' ich durch die lange Nacht
Und horche in das Schweigen [3]—
Ob wohl ein weißes Haupt noch wacht?

Und einmal hab' ich leis' gelacht:
Was sorgst du noch?
Sie weiß es doch,
Sie hat gar feine Ohren,
Ihr geht von deines Herzens Schlag,
Obwohl die Lippe schweigen mag,
Auch nicht ein leiser Ton verloren.

Gustav Falke

(1) Brannte vor Verlangen. (2) Verstehe: Und doch war mir, als ob es sein müßte. . . . (3) Siehe S. 20, Anm. 3.

4. Meiner Mutter

Mein Haupt will ich bergen wie einstens
In deinem Schoß,
Ich tat es vorzeiten als Knabe —
Nun bin ich groß.

Von der Stirne streich' mir die Locken
Leise fort,
Und sprich mir wieder wie damals
Ein zärtlich Wort!

Und küsse die brennende Wange
Deinem Kind,
Und trockne am Auge die Träne,
Die heiß mir rinnt!

So will ich liegen und träumen,
Wie einst ich tat,
Und vergessen, daß ich ins Leben,
Ins wilde, trat.

Börries von Münchhausen

5. Mama bleibt immer schön!

Durchs grünumrankte [1] Fenster blickt
Die Sonne ins Gemach.[2]
Großmutter sitzt und nickt und strickt,
Sie nickt den ganzen Tag.
Ihr Haar ward weiß; es grub die Zeit
Viel tiefe Furchen ein.
Zu ihren Füßen tändelnd [3] kniet
Ihr jüngstes Enkelein.

(1) Mit grünen Ranken umgeben. Siehe S. 14, Anm. 8.
(2) Zimmer. (3) Ausgelassen spielend.

" Was nickst du denn so immerzu ? "
Die kleine Unschuld spricht :
" Großmutter ! gar nicht schön bist du !
Dein Haar gefällt mir nicht —
Und überm Auge auf der Stirn
Die große Falte da !
Es ist Mama viel schöner doch !
Wie schön ist doch Mama ! "

Großmutter sieht den Liebling an :
" Schönheit vergehet bald !
Das Alter hat's mir angetan,
Und auch Mama wird alt ! "
" Mama ! ? " — Des Kindes Aug' umzieht
Ein Hauch [1] von Kümmernis —
" O nein ! Mama bleibt immer schön !
Das weiß ich ganz gewiß ! "

Carl Siebel

6. Gute Nacht

Wie Glockenklang vom Meeresgrunde
Ein Wort durch meine Seele zieht,
So wehmutsvoll wie Abendstimmen,
So mild als wie ein Schlummerlied.
Es weht mir zu auf allen Wegen,
Im Sturmgebraus, im Säuselwind,
Und selbst im Traume klingt es wieder :
Gute Nacht, Mutter ! — Gute Nacht, Kind !

Wenn nach des Tages muntern Spielen
Der Knabe müd' zur Ruhe ging,
Nach manchem Drohen erst und Bitten,
Ob auch der Schlaf am Auge hing,

(1) Hier : eine Wolke, ein Schleier.

Dann rief ich 's von der letzten Stiege [1]
Hinunter noch einmal geschwind,
Und fröhlich kam die Antwort wieder:
"Gute Nacht, Mutter!" — "Gute Nacht, Kind!"

Und saß der Jüngling bei den Büchern,
Ob noch so spät sein Blick auch glitt
Von Blatt zu Blatt hin, eifrig forschend,
Ich hörte doch den leisen Tritt.
Das Lauschen an der Türe hört' ich,
Ich wußte, wer da sorgt und sinnt;
Hinüber und herüber klang es:
"Gute Nacht, Mutter!" — "Gute Nacht, Kind!"

Dann kam die Zeit, da ich gesessen,
An deinem Bett, wie lang, wie oft!
Hielt deine bleiche Hand umschlungen
Und hab' verzagend [2] noch gehofft,
Sah dir ins müde, liebe Auge:
O, komm doch, Schlaf, erquickend lind!
Er kam; — zum letztenmale klang es:
"Gute Nacht, Mutter!" — "Gute Nacht, Kind!"

Wie Glockenklang vom Meeresgrunde
Ein Wort durch meine Seele zieht,
So wehmutsvoll wie Abendstimmen,
So mild als wie ein Schlummerlied.
Und kann ich keine Ruhe finden,
Wenn Gram und Sorge mich umspinnt,[3]
Dann hör' ich's raunen,[4] Frieden bringend:
"Gute Nacht, Mutter! — Gute Nacht, Kind!"

Jacob Loewenberg

(1) Treppe, (hier) Treppenteil. (2) Den Mut verlierend.
(3) Mich wie mit einem Gespinst (einem Netz) umhüllt.
(4) Heimlich flüstern.

7. Wiegenlied

Die Ähren nur noch nicken,
Das Haupt ist ihnen schwer,
Die müden Blumen blicken
Nur schüchtern noch umher.

Da kommen Abendwinde
Still wie die Engelein,
Und wiegen sanft und linde
Die Halm' und Blumen ein.

Und wie die Blumen blicken,
So schüchtern blickst du nun,
Und wie die Ähren nicken,
Will auch dein Häuptlein ruh'n.

Und Abendklänge schwingen
Still wie die Engelein
Sich um die Wieg' und singen
Mein Kind in Schlummer ein.

August Heinrich Hoffmann von Fallersleben

8. Wiegenlied

Vor der Türe schläft der Baum,
Durch den Garten zieht ein Traum.
Langsam schwimmt der Mondeskahn,[1]
Und im Schlafe kräht der Hahn.
Schlaf', mein Hänschen, schlaf'!

Schlaf', mein Hans! In später Stund'
Küss' ich deinen roten Mund.
Streck' dein kleines, dickes Bein,
Steht noch nicht auf Weg und Stein.
Schlaf', mein Hänschen, schlaf'!

(1) Der Mond schwimmt in der Luft wie ein Kahn auf dem Meere.

Schlaf', mein Hans ! Es kommt die Zeit,
Regen rauscht, es stürmt und schneit,
Lebst in atemloser Hast,
Hättest gerne Schlaf und Rast.[1]
Schlaf', mein Hänschen, schlaf' !

Vor der Türe schläft der Baum,
Durch den Garten zieht ein Traum.
Langsam schwimmt der Mondeskahn,
Und im Schlafe kräht der Hahn.
Schlaf', mein Hänschen, schlaf' !

Detlev von Liliencron

9. Mein Bub'

Auch andre Mütter haben Buben
Mit rosig weißem Angesicht,
Mit blond und brauner Lockenfülle,[2]
Doch wie mein Junge sind sie nicht.
Erblicket oft mit den Kam'raden
Mein Auge ihn aus weiter Fern',
Strahlt er von allen mir entgegen
Wie unter Wolkengrau ein Stern.

Wenn schöne Lieder rings im Haine
Erklingen hell und glockenrein,
Ich hör' aus allen Stimmen eine —
Das kann doch nur mein Junge sein !
Und fliegt ein Ball im frohen Spiele
Bis hoch hinauf zum Dachgerüst,[3]
Weiß ich, daß er von keinem andern
Als nur von meinem Jungen ist.

(1) Verstehe: Bald kommt schon die Zeit, wo Regen rauscht . . . wo du in atemloser Hast lebst und gern Ruhe hättest. (2) *Die Fülle,* die große Menge, der Überfluß. (3) *Ein Gerüst,* ein Gestell aus Brettern und Balken, ein Bau. *Dachgerüst* bedeutet hier Dach.

Und so nach kurzen fünfzehn Jährchen,
Dann werdet ihr es alle sehn,
Wird schlank wie eine Edeltanne
Er unter Apfelbäumen stehn.
Es strebt schon jetzt sein helles Auge
Aufwärts zum goldnen Sonnenlicht!
Auch andre Mütter haben Buben,
Doch wie der meine sind sie nicht.

Johanna Ambrosius

10. Strampelchen [1]

Still, wie still, 's ist Mitternacht schon,
Drunten beim Fenster duftet der Mohn,[2]
Duftet so leise, man merkt es kaum,
Schläfert mein Kind in tiefen Traum.

Liese, kleine Liese, tu's Beinchen herein,
Guckt [3] durch das Fenster der Mondenschein,
Sagt es den Bäumen, die draußen stehn,
Daß er dein nackichtes [4] Beinchen gesehn.

Früh, wenn der Wind kommt, schwatzen sie 's aus,
Hört es der Spatz und die Katz' auf dem Haus.
Lachen die Blumen alle so sehr,
Weil unsere Liese ein Strampelchen wär'! [5]

Victor Blüthgen

11. Glück

Um einen Trunk bat mich zur Nacht mein Kind,
Mein wilder Kamerad in Spiel und Scherzen.
Sein Stimmchen bettelte so warm und lind —
Und reiche Liebe strömte mir vom Herzen.

(1) *Strampeln* sagt man von kleinen Kindern, die in ihrer Wiege zappelnd Arme und Beine bewegen. (2) *Die Mohnblume* ("poppy"), deren Saft einschläfernd wirkt. (3) Verstehe: es guckt. . . . (4) *Nackicht* und *nackig*= nackt. (5) Ist (wie man sagen hört).

Es schaute groß und still mich an beim Trinken
Und gab verschwieg'nen Dank, indem es nahm,
Und schien in meinen Anblick zu versinken,
Als tränk' es mit, was mir vom Herzen kam.

Otto Ernst

12. Heimkehr

Wir wandten einmal noch den Blick
Ganz oben, an dem Meilensteine,
Und sahen auf das Dorf zurück,
Das lag im letzten Abendscheine.

Ein dunkelrotes Wolkentor
War überm Walde aufgesprungen,[1]
Und Kirchhof, Feld und Heidemoor[2]
Lag schon in blauen Dämmerungen.

Den Weg hinab ein Bauer schritt,
Und huckepack[3] auf seinem Rücken
Sein kleines blondes Mädel ritt, —
Das schrie und lachte vor Entzücken.

Der Vater sang, — der Abendwind
Trug beider Lachen uns zu Ohren —
So schritt er heimwärts mit dem Kind,
Hin zu des Himmels Sonnentoren.

Agnes Miegel

(1) Über dem Wald hatten sich die Wolken weit aufgerissen und ließen dunkelroten Schimmer durch. Ein *Tor* ist eine große Pforte. (2) *Ein Moor* ist ein sumpfiges Torfland ("peat-ground"). (3) So daß die Kleine die Ärmchen um des Vaters Hals schlägt und der Mann die Beinchen des Kindes mit den Armen stützt.

13. Im Wald

Die Winde gehn ums kleine Jägerhaus,
Die Wälder rauschen in die Nacht hinaus.

Da drinnen schimmert warmes Lampenlicht, —
Ein stilles Stübchen, traulich-eng und schlicht.

Geweih und Rehgehörn als Schmuck der Wand,
Ein Falke drüber, der die Flügel spannt.[1]

So still, so stille — nur die Wanduhr tickt
Und vom Kamin der rote Glutschein zückt.[2]

Bisweilen schlägt im Schlaf der Jagdhund an,[3]
Er träumt vom Pürschgang [4] wohl im freien Tann.[5]

Der Jäger sitzt und pafft [6] sein Pfeifchen stumm,
Der Rauch blaut nebelnd [7] im Gemach herum.

Die blonde Frau lehnt still im Stuhl zurück
Und schaut ins Licht mit weitverträumtem Blick.

Sie hebt den Kopf nur lauschend dann und wann,
Weint nicht im Schlaf ihr Kindchen nebenan?

Doch nur die Wanduhr sagt ihr leis Ticktick:
Es geht — die Zeit — halt fest — halt fest — das Glück!

(1) In den deutschen Waldgebirgen sind Geweihe, Rehhörner und ausgestopfte ("stuffed") Raubvögel ein beliebter Wandschmuck. (2) *Zücken* ist eine seltene Form von *zucken*, sich mit einem *Zuck* (einer kurzen schnellen Bewegung) bewegen, z. B. ein *zuckender* Blitz. (3) Fängt an zu bellen. (4) *Pürsch*, meistens *Pirsch* = Jagd. (5) *Der Tann*, weiter Wald. (6) *Paffen* ist stark und qualmend rauchen, indem man mit den Lippen etwa den Ton *paff* hervorbringt. (7) Verbreitet sich wie blauer Nebel.

Und nur die Winde gehn ums Jägerhaus,
Die Wälder rauschen in die Nacht hinaus!

Lulu von Strauß-Torney

14. Nochemal![1]

Glänzende Augen und feurige Bäckchen,
Eins rechts, eins links im Sofaeckchen,
Die kleinen Hände fest geballt.

" . . . Also der Königssohn kam aus dem Wald
Mit der Prinzessin glücklich heraus,
Und nun ist die Geschichte aus!"

Zwei tiefe Seufzer. Die rosa Mäulchen
Schließen sich für ein kurzes Weilchen,
Und dann zwei Stimmen, ganz sentimental:
"Nochemal, bitte, bitte, Papa, nochemal!"

Börries von Münchhausen

15. Mutter und Kind

1914

In stiller Kammer ruht das Kind,
Es braust das Meer, es saust der Wind.
Die Mutter an dem Bettchen kniet,
Und leise singt ihr Abendlied.
Auf einmal ruft's: "Lieb Mütterlein,
Wann kommt mein Vater wieder heim?" —
"Sei still mein Kind und bet' für ihn,
Dein Vater muß nach Frankreich zieh'n!"

In stiller Kammer ruht das Kind,
Es braust das Meer, es saust der Wind.
Die Mutter an dem Bettchen kniet,
Und leise singt ihr Abendlied.

(1) Noch einmal (in der Kindersprache).

Auf einmal ruft's: " Lieb Mütterlein,
Kommt denn mein Vater noch nicht heim?" —
" Sei still mein Kind, es naht die Nacht,
Dein Vater kämpft in blutiger Schlacht!"

In stiller Kammer ruht das Kind,
Es braust das Meer, es saust der Wind.
Die Mutter an dem Bettchen kniet,
Und leise singt ihr Abendlied.
Auf einmal ruft's: " Lieb Mütterlein,
Kommt denn mein Vater nicht mehr heim?" —
" Sei still mein Kind, schließ' die Äuglein zu,
Dein Vater schläft in ewiger Ruh'!"

Unbekannter Verfasser

VII. GLAUBE UND HOFFNUNG

1. Das Göttliche

Edel sei der Mensch,
Hilfreich und gut!
Denn das allein
Unterscheidet ihn
Von allen Wesen,
Die wir kennen.

Heil den unbekannten
Höhern Wesen,
Die wir ahnen![1]
Ihnen gleiche der Mensch;
Sein Beispiel lehr' uns
Jene glauben!

Denn unfühlend
Ist die Natur:
Es leuchtet die Sonne
Über Bös' und Gute,
Und dem Verbrecher
Glänzen, wie dem Besten,
Der Mond und die Sterne.

Wind und Ströme,
Donner und Hagel
Rauschen ihren Weg

(1) Von deren Dasein und Wesen wir nur ein dunkles Gefühl haben.

Und ergreifen
Vorübereilend
Einen um den andern.[1]

Auch so das Glück
Tappt [2] unter die Menge,
Faßt bald des Knaben
Lockige Unschuld,[3]
Bald auch den kahlen
Schuldigen Scheitel.

Nach ewigen, ehrnen,[4]
Großen Gesetzen
Müssen wir alle
Unseres Daseins
Kreise vollenden.

Nur allein der Mensch
Vermag das Unmögliche :
Er unterscheidet,
Wählet und richtet ;
Er kann dem Augenblick
Dauer verleihen.

Er allein darf
Den Guten lohnen,
Den Bösen strafen,
Heilen und retten,
Alles Irrende, Schweifende [5]
Nützlich verbinden.

Und wir verehren
Die Unsterblichen,

(1) Aufs Geratewohl ("at hap-hazard") einen aus der Menge. (2) Greift tastend ohne zu sehen. (3) Den unschuldigen Knaben, dem noch die Locken ums Gesicht spielen. (4) Ehernen, eisernen. (5) Alles was sich ohne Ziel hin und her bewegt, alles Unsichere.

Als wären sie Menschen,
Täten [1] im großen,
Was der Beste im kleinen
Tut oder möchte.[2]

Der edle Mensch
Sei hilfreich und gut!
Unermüdet schaff' er
Das Nützliche, Rechte,
Sei uns ein Vorbild
Jener geahneten Wesen!

Johann Wolfgang von Goethe

2. Wenn ich ihn nur habe

Wenn ich ihn nur habe,
Wenn er mein nur ist,
Wenn mein Herz bis hin zum Grabe
Seine Treue nie vergißt:
Weiß ich nichts von Leide,
Fühle nichts als Andacht,[3] Lieb' und Freude.

Wenn ich ihn nur habe,
Lass' ich alles gern,
Folg' an meinem Wanderstabe
Treugesinnt nur meinem Herrn,
Lasse still die andern
Breite, lichte, volle Straßen wandern.[4]

Wenn ich ihn nur habe,
Schlaf' ich fröhlich ein,
Ewig wird zu süßer Labe
Seines Herzens Flut [5] mir sein,

(1) Verstehe: Als täten sie . . ., als wenn sie täten. (2) Tut oder gern tun möchte. (3) Fromme Stimmung, anbetende Verehrung. (4) Hier mit Akkusativ des Ortes. (5) Seine Liebe zu mir.

Die mit sanftem Zwingen
Alles wird erweichen und durchdringen.

Wenn ich ihn nur habe,
Hab' ich auch die Welt ;
Selig, wie ein Himmelsknabe,
Der der Jungfrau [1] Schleier hält.
Hingesenkt im Schauen [2]
Kann mir vor dem Irdischen nicht grauen.

Wo ich ihn nur habe,
Ist mein Vaterland ;
Und es fällt mir jede Gabe
Wie ein Erbteil in die Hand.
Längst vermißte Brüder
Find' ich nun in seinen Jüngern [3] wieder.

Novalis

3. Wer Gott will finden . . .

Der große Astronom sprach : " Alle Himmelsflur [4]
Hab' ich durchforscht und nicht entdeckt von Gott die Spur."
Hat er nicht recht gesagt ? Bei Mond- und Sonnenflecken,
Im Sternennebel dort, ist Gott nicht zu entdecken.
Des Sehrohrs Scharfblick sieht den Unsichtbaren nicht,
Den nicht berechnen kann Zahl, Größe, Maß, Gewicht.
Wer Gott will finden dort, der muß ihn mit sich bringen ;
Nur wenn er ist in dir, siehst du ihn in den Dingen.

Friedrich Rückert

(1) Der heiligen Jungfrau Maria. (2) In der Betrachtung des Ewigen ganz versunken. (3) *Der Jünger*, der Apostel, der Diszipel. (4) Den ganzen Raum des Himmels. *Die Flur*, das flache Feld.

4. Der Gottsucher

Ich habe Gott gesucht und fand ihn nicht.
Ich schrie empor und bettelte ins Licht.[1]
Da, wie ich weinend bin zurückgegangen,
Faßt's [2] leise meine Schulter: " Ich bin hier,
Ich habe dich gesucht und bin bei dir."
Und Gott ist mit mir heimgegangen.

Gustav Schüler

5. Die Gottsucher

Unendlich der Raum,
Unendlich die Zeit,
Kein Ziel und Halt
In Ewigkeit.
Die Kinder des Leides, sie sehen und rufen,
Sie irren und zweifeln in Nacht und Not
Und suchen nach Gott.

Sie suchen im Buchstaben,
Sie suchen im Bild,
Sie beten und bluten,
Sie streiten wild,
Entzünden die Scheiter [3] zur lodernden Fackel,
Sie suchen im Kelch und suchen im Brot:
" Wo bist du, Gott? "

Sie suchen im Leben,
Sie suchen in Kunst,
Sie suchen in Grübeln
Und Liebesbrunst,[4]
Sie suchen im düsteren Schatten der Tempel.

(1) Schaute mit bettelnden Blicken ins Licht hinein. (2) *Es* hat oft unbestimmte Bedeutung: etwas, jemand. (3) *Das Scheit*, Stück gespaltetes Brennholz. (4) *Brunst* (zu *brennen*), Glut. *Die Feuersbrunst*, "fire," "conflagration."

Sie rufen in der Freiheit Morgenrot:
"Wo bist du, Gott?"

Die Armen, sie wandern
Am Pilgerstab,
Die Weisen, sie suchen
Die Himmel ab,[1]
Sie suchen im schuldlosen Kindesherzen
Und fragen mit Grauen den starren[2] Tod:
"Wo bist du, Gott?"

Und sieh, im Suchen
Und heißen Streit
Steht immer der Herr
An ihrer Seit'
Und klopft ihnen lächelnd wohl auf die Achsel:
"Ihr Kinder, schaut Euch doch einmal um!
Seid nicht so dumm."

Peter Rosegger

6. Totenwacht

Auf Golgotha liegt schwarz die Nacht,
Eine Mutter hält Totenwacht.

Es stöhnt der Sturm im Felsgestein,
Die Schluchten[3] fährt er aus und ein.

Dumpf murmelt das Weib: "Mein Sohn, ich bleib'
Und wehre die Geier von deinem Leib

Und wische den Regen von deinem Gesicht,
Ich bleibe, mein Sohn, ich verlasse dich nicht."

Sie murmelt es hin und weint und wacht.
Wild weht der Sturm. Schwarz schweigt die Nacht.

Hans Benzmann

(1) Einen Raum *absuchen*, ihn gründlich durchsuchen. (2) Unerbittlichen. (3) *Eine Schlucht* ist ein tiefes, enges Gebirgstal.

7. Arbeit an der Bibel [1]

Droben auf der Wartburg, ruhend von Fährnis [2] und
 Fahrt,
Haust seit Kantate [3] ein Junker, sässig,[4] friedlich,
 gelahrt.[5]
Bücher verstreut auf der Diele, schweinsledern, mit
 Schließen verziert,
Breit sitzt er im Armstuhl, stützt das Kinn, meditiert,
Vor ihm die griechische Bibel, alt und neu Testa-
 ment,
Bisweilen schnellt er vom Sessel — rennt,
Langt einen Band vom Boden, schlägt auf, streicht,
 klappt,
Wirft ihn schwer in die Ecke, trampt,[6] trabt, trappt,
Von der Türe zur Wand, vom Bette zum Fensterbord.
Hart aus sich bricht er Sprache [7] und wirft auf den
 Bogen [8] das Wort.

(1) Dr Martin Luther wurde nach dem Wormser Reichstag durch die Fürsorge des sächsischen Kurfürsten Friedrich des Weisen auf die Wartburg gebracht. Da wohnte er ungefähr ein Jahr (1521-1522) unter dem Namen "Junker Georg." Die Wartburg ist ein stattliches, mittelalterliches Schloß, das herrlich auf einem 189 m hohen, bewaldeten Bergkegel emporragt, an dessen Fuß die Stadt Eisenach liegt. Die Aussicht umfaßt den Thüringer Wald, das Werratal und, gegen Norden, die fruchtbare Ebene. Südlich erblickt man die Gipfel der Rhön. Im "Lutherzimmer" der Wartburg, wo der Reformator das Neue Testament aus dem Griechischen ins Deutsche übersetzte, zeigt man heute noch Luthers Arbeitstisch, Bücherschrank, Tintenfaß usw. (2) Gefahr. (3) So wird in der katholischen Kirche der vierte Sonntag nach Ostern genannt, nach dem Anfangswort (*Cantate* = singt) eines an dem Sonntag zu singenden Kirchengesanges. (4) Der ständig zu Hause saß, nämlich bei der Arbeit. (5) Alte Form von *gelehrt*. (6) Stampft auf vor Ungeduld. (7) Eine einheitliche deutsche Kultursprache gab es damals noch nicht; Luther mußte selbst hauptsächlich aus der ostmitteldeutschen Mundart die Sprache bilden. (8) *Der Bogen* (Plur. *Bögen*), das Blatt Papier.

Horcht, feilt, hämmert ; lugt, zielt, trifft —
Also, bohrend und bosselnd,[1] schreibt Luther deutsch
die Geschrift.

Fernhin, zu Füßen des Berges gespannt,[2]
Tragend Wälder und Wiesen, blüht das Thüringer
Land ;
Erstarrte Wellen grünenden Meeres, leuchtende Höh'n,
Die Werra glänzt, hinter Weiten dämmert die Rhön.

Manchmal am Fenster hält er ein,
Sinnend in Rast.[3]
Breit breitet er beide Arme und faßt ;
In Fudern [4] packt er die Luft und den Tagesschein,
Und wendet sich hin und streut auf die Bögen dicht
Den Duft der Hügel, das Wälderlicht.

Rund um die Stube öffnet sich Wandung [5] und Mauer,
Wiesen und Wässer, Wald bei Wald, Berg an Berg,[6]
— Ein Fuhrmann rasselt vorüber, zurufend ackert ein
Bauer, —
Sitzen ratend und helfend um Luthers Werk.

Ernst Lissauer

8. Ich ging . . .

Ich ging durch stille Abenddämmerungen.
Die stumme Flur entschlummerte schon mählich.[7]
Die Vögel hatten, da sie tausendkehlig
Die Sonn' im Scheiden grüßten, ausgesungen.

(1) " Pottering." Hier : Mit vielen Änderungen mühevoll zusammensetzend. (2) Sich weithin ausdehnend. (3) Siehe S. 111, Anm. 1. (4) *Ein Fuder* oder *eine Fuhre* ist was mit einem Male auf einem Wagen gefahren werden kann. Hier : in großen Mengen. (5) Wand. (6) *Berg* ist hier des Reimes halber, wie übrigens in der Bühnensprache, mit explosivem *g* (Anfangs-g) zu lesen. (7) Die schweigenden Felder schlummerten allmählich ein.

Da hat ein hoher Klang sich aufgeschwungen
Von Abendglocken rings im Land vielzählig.
Da fühlt' ich mich im tiefsten Herzen selig,
Und Tränen sind ins Auge mir gedrungen.

O Glockenton! wie [1] du an Gott zu denken
Uns aufrufst durch den trüben Erdenabend,
Will sich der Geist so ganz in Andacht senken.

Ein Ton nun klingt durchs öde Weltgetriebe,
Das sehnsuchtmüde Herz noch süßer labend:
O klinge fort, du Ruf der ewigen Liebe!

Gottfried Kinkel

9. Sonntag

Die Nacht war kaum verblühet,
Nur eine Lerche sang
Die stille Luft entlang.
Wen grüßt sie schon so frühe?

Und draußen in dem Garten
Die Bäume übers Haus
Sah'n weit ins Land hinaus,
Als ob sie wen [2] erwarten.

In festlichen Gewanden [3]
Wie eine Kinderschar,
Tauperlen [4] in dem Haar,
Die Blumen alle standen.

Ich dacht': "Ihr kleinen Bräute,
Was schmückt ihr euch so sehr?" —
Da blickt die eine her:
"Still, still, 's ist Sonntag heute.

(1) Sobald, wenn. (2) Jemand. (3) Die übliche Mehrzahlform ist *die Gewänder*. (4) Tautropfen wie Perlen.

" Schon klingen Morgenglocken,
Der liebe Gott nun bald
Geht durch den stillen Wald."
Da kniet' ich, froh erschrocken.

Joseph von Eichendorff

10. Sonntagsmorgengang

Der Glocke Riesenbecher gießt
Klangfluten in das Land hinaus :
In langen vollen Wellen fließt
Hoch in der Luft das Tongebraus.

Ich geh' in lauter Licht und Duft
Hin meinen Sonntagsmorgengang.
Ich fühle, hoch in klarer Luft
Folgt mir ein voller Glockenklang.

Die Frommen zieh'n den Weg entlang
Der frohen Botschaft gläubig zu ;
Auf meinem Sonntagsmorgengang,
Ungläubig Herz, was frohlockst du ?

Die Luft erbraust in Sonntagslust,
Und wie beflügelt ist mein Schritt :
Das Sünderglöcklein meiner Brust [1]
Schwingt [2] froh im Sonntagswohlklang mit. . . .

Hugo Salus

11. Mit Gott ans Werk

Gehe hin in Gottes Namen,
Greif' dein Werk mit Freuden an !
Frühe säe deinen Samen !
Was getan ist, ist getan.

(1) Verstehe : mein sündiges, pochendes Herz. (2) " Vibrates."

Müßig stehen ist gefährlich,
Heilsam unverdross'ner Fleiß,
Und es steht dir abends ehrlich
An der Stirn des Tages Schweiß.

Sieh nicht aus nach dem Entfernten!
Was dir nah' liegt, mußt du tun;
Säen mußt du, willst du ernten,
Nur die fleiß'ge Hand wird ruh'n.
Weißt du auch nicht, was geraten[1]
Oder was mißlingen mag,
Folgt doch allen guten Taten
Gottes Segen für dich nach.

Philipp Spitta

12. Hoffnung

Es reden und träumen die Menschen viel
Von bessern künftigen Tagen,
Nach einem glücklichen, goldenen Ziel
Sieht man sie rennen und jagen.
Die Welt wird alt und wird wieder jung,
Doch der Mensch hofft immer Verbesserung.

Die Hoffnung führt ihn ins Leben ein,
Sie umflattert den fröhlichen Knaben,
Den Jüngling begeistert ihr Zauberschein,
Sie wird mit dem Greis nicht begraben;
Denn beschließt er im Grabe den müden Lauf,
Noch am Grabe pflanzt er — die Hoffnung auf.

Es ist kein leerer, schmeichelnder Wahn,
Erzeugt im Gehirne des Toren;
Im Herzen kündet es laut sich an:
Zu was Besserm sind wir geboren!
Und was die innere Stimme spricht,
Das täuscht die hoffende Seele nicht.

Friedrich von Schiller

(1) Gelingen.

13. Hoffnung

Und dräut [1] der Winter noch so sehr
Mit trotzigen Gebärden,
Und streut er Eis und Schnee umher,
Es muß *doch* Frühling werden.

Und drängen Nebel noch so dicht
Sich vor den Blick der Sonne,
Sie wecket doch mit ihrem Licht
Einmal die Welt zur Wonne.

Blast nur ihr Stürme, blast mit Macht!
Mir soll darob nicht bangen;
Auf leisen Sohlen über Nacht [2]
Kommt doch der Lenz gegangen.

Da wacht die Erde grünend auf,
Weiß nicht, wie ihr geschehen,
Und lacht in den sonnigen Himmel hinauf
Und möchte vor Lust vergehen.

Sie flicht sich blühende Kränze ins Haar,
Und schmückt sich mit Rosen und Ähren,
Und läßt die Brünnlein rieseln klar,
Als wären es Freudenzähren.[3]

Drum still! Und wenn es frieren mag,
O Herz, gib dich zufrieden!
Es ist ein großer Maientag
Der ganzen Welt beschieden.[4]

Und wenn dir oft auch bangt und graut,
Als sei die Höll' auf Erden,
Nur unverzagt auf Gott vertraut!
Es muß *doch* Frühling werden.

Emanuel Geibel.

(1) Droht. (2) Noch diese Nacht. (3) *Zähre,* poetisch für Träne. (4) *Einem etwas bescheiden,* ihm das als seinen Anteil bestimmen.

14. Trost

Wenn alles eben käme,
Wie du gewollt es hast,
Und Gott dir gar nichts nähme,
Und gäb' dir keine Last,
Wie wär's da um dein Sterben,
Du Menschenkind, bestellt ?
Du müßtest fast verderben,
So lieb wär' dir die Welt !

Nun fällt — eins nach dem andern —
Manch süßes Band dir ab,
Und heiter kannst du wandern
Gen [1] Himmel durch das Grab ;
Dein Zagen [2] ist gebrochen
Und deine Seele hofft. —
Dies ward schon oft gesprochen,
Doch spricht man's nie zu oft.

Friedrich de la Motte-Fouqué

15. Dennoch [3] !

Sag' immer wieder, sag' es tausendmal,
Daß Tod und Grab der Seele Los beschließen,
Daß Leiden, Fühlen, Jubeln, Lust und Qual
Mit diesem Leben in ein Nichts zerfließen ;

Daß dieses Herz, voll heißer, tiefer Glut
Dereinst [4] für immerdar im Staub vermodert,
Daß dieser Gcist, der selbst im Schlaf nicht ruht,
Mit einem letzten Atemzug verlodert ;

(1) Zum. (2) Banges Zögern. (3) Man vergleiche dieses Gedicht mit Sully Prudhomme's *Les Yeux*. (4) Einmal.

Sag' immer wieder, daß die ganze Welt,
Die Gottes warmer Werdehauch [1] durchzittert,
Mit allem Leben, das sie trägt und hält,
Für ewig in Atome sich zersplittert;

Sag's immer wieder — und ich glaub' es nicht;
Denn meinem eignen Fühlen müßt' ich lügen.
Mein Herz, mein Geist strebt auf zum ew'gen Licht
In sehnsuchtsvollen, in beseelten Flügen.

Ward mir umsonst die tiefe Heimwehqual,
Die nur in Ewigkeiten Stillung fände [2]?
Sprich von dem Nichts mir — sag' es tausendmal,
Ich glaube *dennoch* nicht an ew'ges Ende!

Alice von Gaudy

(1) Der Hauch (Atem) durch den etwas wird (entsteht), Gottes schöpferischer Geist. (2) Befriedigung finden könnte.

VIII. LEBENSFREUDE UND LEBENSWEISHEIT

1. Beherzigung

I

Feiger Gedanken
Bängliches Schwanken,
Weibisches Zagen,
Ängstliches Klagen
Wendet kein Elend,
Macht dich nicht frei.

Allen Gewalten
Zum Trutz sich erhalten,[1]
Nimmer sich beugen,
Kräftig sich zeigen
Rufet die Arme
Der Götter herbei.

II

Geh' ! gehorche meinen Winken,
Nutze deine jungen Tage,
Lerne zeitig klüger sein :
Auf des Glückes großer Wage
Steht die Zunge [2] selten ein.[3]

(1) Trotz allen Gewalten sich behaupten. (2) Der Zeiger der Wage. (3) *Die Zunge der Wage steht ein* (oder *inne*), zeigt das Gleichgewicht.

Du mußt steigen oder sinken,
Du mußt herrschen und gewinnen,
Oder dienen und verlieren,
Leiden oder triumphieren,
Amboß oder Hammer sein.

Johann Wolfgang von Goethe

2. Der rechte Weg

Der Vater mit dem Sohn ist über Feld [1] gegangen ;
Sie können, nachtverirrt, die Heimat nicht erlangen.
Nach jedem Felsen blickt der Sohn, nach jedem Baum,
Wegweiser ihm zu sein im weglos dunkeln Raum.
Der Vater aber blickt indessen nach den Sternen,
Als ob der Erde Weg er woll' am Himmel lernen.
Die Felsen blieben stumm, die Bäume sagten nichts,
Die Sterne deuteten mit einem Streifen Lichts.
Zur Heimat deuten sie ; wohl dem, der traut den Sternen !
Den Weg der Erde kann man nur am Himmel lernen.

Friedrich Rückert

3. O keine Klage . . .

O keine Klage, liebes Leben,
Sei glücklich, weil der Tag dir lacht !
Das Heute nur ward dir gegeben,
Das Morgen ist ein Kind der Nacht.

Wer um des Schicksals Wechselfälle
Sich härmt und bangt in steter [2] Qual,
Der durstet an der kühlen Quelle,
Der darbt [3] beim heitern Göttermahl.

(1) Quer durchs Feld. (2) Dauernder. Derselbe Stamm in *stets* und im englischen *steady*. (3) Hungert.

Nein, liebes Leben, keine Klage,
So lang noch Herz und Sonne glüht,
So lang im frischen Frühlingstage
Am Strauch noch eine Rose blüht !

Und starb die ganze Blumenfülle,
Und deucht [1] die Welt dir öd' und leer,
Dann hoffe und erwarte stille
Des holden Lenzes Wiederkehr.

O keine Klage, liebes Leben,
Sei glücklich, weil der Tag dir lacht !
Das Heute nur ward dir gegeben,
Das Morgen ist ein Kind der Nacht.

Friedrich Wilhelm Weber

4. Noch ist die blühende, goldene Zeit [2]

Noch ist die blühende, goldene Zeit,
O du schöne Welt, wie bist du so weit !
Und so weit ist mein Herz, und so blau wie der Tag,
Wie die Lüfte, durchjubelt von Lerchenschlag !
Ihr Fröhlichen, singt, weil das Leben noch mait [3] :
Noch ist die schöne, die blühende Zeit,
Noch sind die Tage der Rosen !

Frei ist das Herz, und frei ist das Lied,
Und frei ist der Bursch', der die Welt durchzieht,
Und ein rosiger Kuß ist nicht minder frei,
So spröd' [4] und verschämt auch die Lippe sei.
Wo ein Lied erklingt, wo ein Kuß sich beut,[5]
Da heißt's : Noch ist blühende, goldene Zeit,
Noch sind die Tage der Rosen !

(1) Scheint. (2) Die Vertonung dieses Liedes von W. Baumgartner ist weltbekannt. (3) Aufblüht wie im *Mai*. (4) Unempfindlich für Liebe. (5) Alte Form von *bietet*.

Ja im Herzen tief innen ist alles daheim,
Der Freude Saaten, der Schmerzen Keim.
Drum frisch sei das Herz und lebendig der Sinn,
Dann brauset, ihr Stürme, daher und dahin !
Wir aber sind allzeit zu singen bereit :
Noch ist die blühende, goldene Zeit,
Noch sind die Tage der Rosen !

Otto Roquette

5. Das Leben aber ist doch groß und weit

Ich stand im Morgenglanz auf hohem Gipfel,
Und bunte Dörfer lagen ringsumher,
Und über Hügeln schwankten Waldeswipfel.

Sie schwankten wie ein Ährenfeld, ein Meer,
Und leichte, federweiße Wolkennachen,[1]
Im roten Glanze, glitten drüber her.

Und aus den Lüften grüßte mich ein Lachen
Von jungen Vögeln, die die Flügel schwangen,
Im Frühlichtschimmer, zu des Tags Erwachen.

Es hielt mich warm ihr froher Ton umfangen,
Und weithin über Erdenglück und -leid
Des mächtigen Sturmes Riesenschwingen sangen
Des großen Lebens Unermeßlichkeit.

Peter Baum

6. Über ein Stündlein

Dulde, gedulde dich fein !
Über ein Stündlein
Ist deine Kammer voll Sonne.

(1) *Der Nachen,* der Kahn, das Ruderboot.

Über den First,[1] wo die Glocken hangen,
Ist schon lange der Schein gegangen,
Ging in Türmers Fenster ein.
Wer am nächsten dem Sturm der Glocken,
Einsam wohnt er, oft erschrocken,
Doch am frühsten tröstet ihn Sonnenschein.

Wer in tiefen Gassen gebaut,[2]
— Hütt' an Hüttlein lehnt sich traut,[3] —
Glocken haben ihn nie erschüttert,
Wetterstrahl ihn nie umzittert,
Aber spät sein Morgen graut.

Höh' und Tiefe hat Lust und Leid.
Sag' ihm ab, dem törigen Neid[4]:
Andrer Gram birgt andre Wonne.

Dulde, gedulde dich fein!
Über ein Stündlein
Ist deine Kammer voll Sonne!

Paul Heyse

7. Wenn jemand schlecht von deinem Freunde spricht . . .

Wenn jemand schlecht von deinem Freunde spricht,
Und scheint er noch so ehrlich, glaub' ihm nicht!
Spricht alle Welt von deinem Freunde schlecht,
Mißtrau' der Welt und gib dem Freunde Recht!
Nur wer so standhaft seine Freunde liebt,
Ist wert, daß ihm der Himmel Freunde gibt.

(1) *Der First* ist der höchste Gipfel eines Berges oder Baues; hier: Turm. (2) Verstehe: seine Wohnung gebaut hat. (3) Freundlich. (4) Laß die törichte Unzufriedenheit mit deinem Schicksal. *Einem absagen*, ihm die Freundschaft aufkündigen, sich von ihm lossagen.

Ein Freundesherz ist ein so seltner Schatz,
Die ganze Welt beut [1] nicht dafür Ersatz ;
Ein Kleinod ist's voll heil'ger Wunderkraft,
Das nur bei festem Glauben Wunder schafft.
Doch jedes Zweifels Hauch trübt seinen Glanz,
Einmal zerbrochen wird's nie wieder ganz.
Drum, wird ein solches Kleinod dir beschert,[2]
O trübe seinen Glanz nicht, halt' es wert !
Zerbrich es nicht ! Betrachte alle Welt
Als einen Ring nur, der dies Kleinod hält,
Dem dieses Kleinod selbst erst Wert verleiht ;
Denn wo es fehlt, da ist die Welt entweiht.
Doch würdest du dem ärmsten Bettler gleich,
Bleibt dir ein Freundesherz, so bist du reich,
Und wer den höchsten Königsthron gewann
Und keinen Freund hat, ist ein armer Mann.

Friedrich Bodenstedt

8. Glaube an die Freundschaft

Wenn eines Menschen Seele du gewonnen
Und in sein Herz hast tief hineingeschaut
Und ihn befunden einen klaren Bronnen,[3]
In dessen reiner Flut der Himmel blaut,

Laß deine Zuversicht dann nichts dir rauben,
Und trage lieber der Enttäuschung Schmerz,
Als daß du grundlos ihm entziehst den Glauben —
Kein größer Glück als ein vertrauend Herz !

Laß adlermutig [4] deine Liebe schweifen [5]
Bis dicht an die Unmöglichkeit hinan :
Kannst du des Freundes Tun nicht mehr begreifen,
So fängt der Freundschaft frommer Glaube an !

Felix Dahn

(1) Siehe S. 95, Anm. 5. (2) Siehe S. 8, Anm. 1. (3) Die übliche Form ist *Brunnen*. (4) Hoch wie der mutige Flug des Adlers. (5) Hinschweben.

9. Für meine Söhne

Hehle nimmer mit der Wahrheit!
Bringt sie Leid, nicht bringt sie Reue;
Doch, weil Wahrheit eine Perle,
Wirf sie auch nicht vor die Säue.[1]

Blüte edelsten Gemütes
Ist die Rücksicht[2]; doch zu Zeiten[3]
Sind erfrischend wie Gewitter
Goldne Rücksichtslosigkeiten.[4]

Wackrer heimatlicher Grobheit
Setze deine Stirn entgegen[5];
Artigen Leutseligkeiten
Gehe schweigend aus den Wegen.[6]

Wo zum Weib du nicht die Tochter
Wagen würdest zu begehren,
Halte dich zu wert,[7] um gastlich
In dem Hause zu verkehren.

Was du immer kannst, zu werden,
Arbeit scheue nicht und Wachen[8];

(1) Die Schweine. Nach dem Evangelium: neque mittatis margaritas ante porcos (Matth. vii. 6). (2) Die schonende Achtung für die Gefühle andrer Menschen, insofern dieselbe das eigne Benehmen beeinflußt. (3) Manchmal, ab und zu. (4) Man empfindet es wie eine Erleichterung, wenn man mal jedem zum Trotz (*rücksichtslos*) seine eigne Meinung heraussagen, oder ganz nach eignem Ermessen handeln kann. (5) Kämpfe offen gegen das Plumpe und Derbe bei unsern eignen Landsleuten. (6) Vermeide die Leute, die dir allzu schmeichelhaft ihr Wohlwollen zeigen. (7) Achte dich selbst zu hoch. (8) Verstehe: Scheue keine Arbeit und kein Wachen (keine Mühe) um das zu werden, was du irgend werden kannst.

Aber hüte deine Seele
Vor dem Karriere-Machen.[1]

Wenn der Pöbel aller Sorte
Tanzet um die goldnen Kälber,
Halte fest: Du hast vom Leben
Doch am Ende nur dich selber.

Theodor Storm

10. An mein Kind

Manch einer schläft auf hartem Brett,
Du liegst im weichen Daunenbett.
Du kannst in Seidendecken,
Mein Kind, die Glieder strecken.

Doch heb' einst nicht das Haupt zu sehr!
Wir kamen auch von unten her.
In Tiefen haben wir geschafft,
Die Tiefe gab uns Kern und Kraft.

Es trug dein Ahn kein Ritterschwert,
Ihm waren Pfriem und Ahle wert.
In blanker Kugel glomm das Licht[2] —
Vergiß das nicht! Vergiß das nicht!

(1) Vor dem Strebertum ("place-hunting"). Das franz. *carrière*=Laufbahn. Theodor Storm hat selbst nach diesen Richtlinien gehandelt: zu stolz um sich vor den dänischen Bedrückern seiner Heimat zu beugen, verzichtete er auf seine Stellung und verließ Haus und Herd. (2) Dein Großvater war ein einfacher Schuster, der oft noch beim Lampenschein arbeiten mußte. *Der Pfriem*, "bodkin." *Die Ahle*, "awl." *Die Kugel*, die sogenannte *Schusterkugel*, eine mit klarem Wasser gefüllte, kugelige Flasche, die ganz tief, fast auf die Kniee des Schusters gehängt war, so daß durch die Kugel, wie durch ein Brennglas, das Licht der Petroleumlampe schien und einen kleinen Fleck hell beleuchtete.

Und steigst du auf zu Macht und Glanz,
Und pflückst du dir den höchsten Kranz,
Hab' Achtung vor den Tiefen, Kind,
Daraus wir einst gewachsen sind!

Karl Busse

11. "Heute ist heut'!"

Was die Welt morgen bringt,
Ob sie uns Sorgen bringt,
Leid oder Freud',
Komme was kommen mag,
Sonnenschein, Wetterschlag,
Morgen ist noch ein Tag,
Heute ist heut'!

Wenn's dem Geschick gefällt
Sind wir in alle Welt
Morgen zerstreut.
Drum laßt uns lustig sein,
Wirt, roll' das Faß herein!
Mädel, schenk' ein, schenk' ein!
Heute ist heut'!

Kling klang, stoßt an und singt,
Morgen vielleicht erklingt
Sterbegeläut'.
Wer weiß, ob nicht die Welt
Morgen in Schutt zerfällt,
Wenn sie nur heut' noch hält,
Heut ist heut'!

Rudolf Baumbach

12. Hab' Sonne . . .

Hab' Sonne im Herzen,
Ob's stürmt oder schneit,
Ob der Himmel voll Wolken,
Die Erde voll Streit!

Hab' Sonne im Herzen,
Dann komme was mag !
Das leuchtet voll Licht dir [1]
Den dunkelsten Tag !

Hab' ein Lied auf den Lippen,
Mit fröhlichem Klang,
Und macht auch des Alltags [2]
Gedränge dich bang !
Hab' ein Lied auf den Lippen,
Dann komme was mag !
Das hilft dir verwinden [3]
Den einsamsten Tag !

Hab' ein Wort auch für andre
In Sorg' und in Pein
Und sag', was dich selber
So frohgemut läßt sein :
Hab' ein Lied auf den Lippen,
Verlier' nie den Mut,
Hab' Sonne im Herzen,
Und alles wird gut !

Cäsar Flaischlen

13. Sprüche

(1)

Wenn du dich selber machst zum Knecht,
Bedauert dich niemand, geht's dir schlecht [4] ;
Machst du dich aber selbst zum Herrn,
Die Leute sehn es auch nicht gern ;
Und bleibst du endlich, wie du bist,
So sagen sie, daß nichts an dir ist.[5]

(1) Das erfüllt dir mit Licht . . . (2) Des täglichen Lebens. (3) *Etwas verwinden,* über etwas hinwegkommen. (4) Wenn es dir schlecht geht. (5) Daß du ein recht unbedeutender Mensch bist.

(2)

Willst du dir ein gut Leben zimmern,
Mußt ums Vergangne dich nicht bekümmern,
Und wäre dir auch was verloren,
Mußt immer tun wie neu geboren;
Was jeder Tag will, sollst du fragen,
Was jeder Tag will, wird er sagen;
Mußt dich an eignem Tun ergötzen,[1]
Was andre tun, das wirst du schätzen;
Besonders keinen Menschen hassen,
Und das Übrige Gott überlassen.

(3)

Es ließe sich alles trefflich schlichten,
Könnte man die Sachen zweimal verrichten.

(4)

Glaube nur, du hast viel getan,
Wenn dir Geduld gewöhnest an.[2]

(5)

Tu nur das Rechte in deinen Sachen!
Das andre wird sich von selber machen.

(6)

Mit einem Herren steht es gut,
Der, was er befohlen, selber tut.

(7)

Wohl unglückselig ist der Mann,
Der unterläßt das, was er kann,
Und unterfängt sich,[3] was er nicht versteht;
Kein Wunder, daß er zu Grunde geht.

(1) Deine Freude haben. (2) Wenn du dir Geduld angewöhnst. (3) Und dasjenige unternimmt . . .

(8)

Wär' nicht das Auge sonnenhaft,[1]
Die Sonne könnt' es nie erblicken ;
Läg' nicht in uns des Gottes eigne Kraft,
Wie könnt' uns Göttliches entzücken ?

(9)

Wie fruchtbar ist der kleinste Kreis,
Wenn man ihn wohl zu pflegen weiß !

(10)

Wer mit dem Leben spielt,
Kommt nie zurecht ;
Wer sich nicht selbst befiehlt,
Bleibt immer Knecht.

(11)

Liegt dir gestern klar und offen,
Wirkst du heute kräftig frei,
Kannst auch auf ein Morgen hoffen,
Das nicht minder glücklich sei.

(12)

Alles in der Welt läßt sich ertragen,
Nur nicht eine Reihe von schönen Tagen.

(13)

Was verkürzt mir die Zeit ?
    Tätigkeit !
Was macht sie unerträglich lang ?
    Müßiggang !
Was bringt in Schulden ?
    Harren und Dulden !

(1) Mit der Sonne wie verwandt.

Was macht gewinnen ?
    Nicht lange besinnen !
Was bringt zu Ehren ?
    Sich wehren !

(14)

Ein Kranz ist gar viel leichter zu binden
Als ihm ein würdig Haupt zu finden.

(15)

Einen Helden mit Lust preisen und nennen
Wird jeder, der selbst als Kühner stritt.
Des Menschen Wert kann niemand erkennen,
Der nicht selbst Hitze und Kälte litt.

Johann Wolfgang von Goethe

***

14

(1) *Pflicht für jeden*

Immer strebe zum Ganzen, und kannst du selber kein Ganzes
Werden, als dienendes Glied schließ' an ein Ganzes dich an.

(2) *Der Schlüssel*

Willst du dich selber erkennen, so sieh, wie die andern es treiben ;
Willst du die andern verstehn, blick' in dein eigenes Herz.

(3) *Freund und Feind*

Teuer ist mir der Freund, doch auch den Feind kann ich nützen[1] :
Zeigt mir der Freund, was ich kann, lehrt mich der Feind, was ich soll.

Friedrich von Schiller

(1) Gebrauchen.

15

(1)

Wenn die Wässerlein kämen zuhauf,[1]
Gäb' es wohl einen Fluß ;
Weil jedes nimmt seinen eigenen Lauf,
Eins ohne das andre vertrocknen muß.

(2)

Auf das, was dir nicht werden [2] kann,
Sollst du den Blick nicht kehren !
Oder ja, sieh recht es an,
So siehst du gewiß, du kannst's entbehren.

(3)

Prahl' nicht heute : morgen will
Dieses oder das ich tun !
Schweige doch bis morgen still,
Sage dann : das tat ich nun !

(4)

Das sind die Weisen,
Die durch Irrtum zur Wahrheit reisen.
Die bei dem Irrtum verharren,
Das sind die Narren.

(5)

Am Abend wird man klug
Für den vergangnen Tag,
Doch niemals klug genug
Für den, der kommen mag.

(1) Zusammen, zu einem *Haufen*. (2) Zu teil werden.

(6)

Manch art'ges Büchlein läßt sich einmal lesen,
Zu dem der Leser nie dann wiederkehrt;
Doch was nicht zweimal lesenswert gewesen,
Das war nicht einmal lesenswert.

Friedrich Rückert

***

16

(1)

Freude schweift in die Welt hinaus,
Bricht [1] jede Frucht und kostet jeden Wein.
Riefe dich nicht das Leid nach Haus,
Du kehrtest nimmer bei dir selber ein.

(2)

Nimmer wirst du Unsterbliches schaffen,
Nun vom Kampfe die Welt erbraust,
Wenn du nicht über dem Lärm der Waffen
Schon den Bogen [2] des Friedens schaust.

(3)

Es ist der Glaub' ein schöner Regenbogen,
Der zwischen Erd' und Himmel aufgezogen,
Ein Trost für alle; doch für jeden Wandrer
Je nach der Stelle, da er steht, ein andrer.

Emanuel Geibel

***

17

(1) *Bestes Glück*

Kein Glück ist auf dem Erdenrund
Heilkräftiger, süßer, reiner,
Als Kindermund an deinem Mund
Und Kinderhand in deiner.

(1) Pflückt sich. (2) Der Regenbogen nach dem Sturm als Sinnbild des Friedens.

(2) *Stille Hoffnung*

Im Allgemeinen denk' ich schlecht
Von dem gesamten Menschengeschlecht,
Doch jeden Einzelnen ich mir betracht',
Ob er nicht doch eine Ausnahme macht.

(3) *Fester Grund*

Wer sich an andre hält,
Dem wankt die Welt.
Wer auf sich selber ruht,
Steht gut.

(4) *Richtet nicht*

Wer leben will und sich wohl befinden,
Kümmre sich nicht um des Nachbars Sünden.

(5) *Freunde*

" Freund in der Not " will nicht viel heißen ;
Hilfreich möchte sich mancher erweisen.
Aber die neidlos ein Glück dir gönnen,
Die darfst du wahrlich " Freunde " nennen.

(6) *Der beste Spieler*

Was hilft's, nach dem Applaus der Welt
Mit vorgebundner Maske schielen,[1]
Da der allein nie aus der Rolle fällt,
Der immer wagt, sich selbst zu spielen.

(7)

Aus Lieb' oder aus Vernunft zu frei'n ?
Wie sollt' das nicht dasselbe sein,
Da es doch nichts Vernünft'gers gibt,
Als eine nehmen, die man liebt.

(1) *Nach etwas schielen,* begierig aber verstohlen (von der Seite) nach etwas lauern. *Schielen,* " squint."

(8)

Ob sie [1] dem Licht den Sieg mißgönnen,
Die Nacht wird's nicht bezwingen können,
So lang' der Feldruf der Jugend heißt:
Hie [2] deutsches Gewissen und deutscher Geist!

(9)

Mußt nicht stets gen Himmel schauen,
Welch Gesicht er möge machen.
Laß dir's in der Seele blauen,
Und der Stürme kannst du lachen.[3]

(10)

Wer keinen Fußtritt spüren will im Rücken,
Muß sich nicht bücken.

(11)

Nur eins beglückt zu jeder Frist [4]:
Schaffen, wofür man geschaffen ist.

(12)

Mußt das Üble dem Geschick
Nur nicht übelnehmen,
Unbequemem Augenblick
Still dich anbequemen.

(13)

Das ist des Menschen bester Gewinn:
Ernste Seele und heitrer Sinn.
Nur wo die beiden sich treu vermählen,
Kann's nie an Frieden und Freude fehlen.

Paul Heyse

(1) Deutschlands Neider. (2) Verstehe: Hier! auf unsrer Seite! gegen: dort, bei den Gegnern. (3) *Lachen*, mit Genitiv = lachend trotzen. (4) Zu jeder Zeit, immer.

18. Die Sünde

Menschlich ist es, Sünde treiben ;
Teuflisch ist's, in Sünde bleiben ;
Christlich ist es, Sünde hassen ;
Göttlich ist es, Sünd' erlassen.[1]

Friedrich von Logau

19

(1) *Der beste Orden*

Gar manches Knopfloch ist geschmückt,
Weil manchem dies und das geglückt
Mit Klingen und mit Kielen.[2]
Jedweder Leistung Ehr' und Preis :
Der beste Orden, den ich weiß,
Ist eine Hand voll Schwielen.[3]

(2) *Sein eigner Herr*

Wer lustig leben kann nach seinem Kopf
Und kochen was er will, im eignen Topf,
Der heißt sein eigner Herr. Mit größrem Recht
Heiß' er in manchem Fall sein eigner Knecht.
Sein eigner Herr ist nur der starke Mann,
Der sich befehlen — und gehorchen kann.

Friedrich Wilhelm Weber

(1) " Remit." (2) Mit den Waffen oder mit der Feder. Die alten Schreibfedern waren *Kiele* ("quills") von Gänsefedern. (3) "Callosity." Daher : eine *schwielige* Hand.

20. Ein Rezept zur Erhaltung der guten Laune

Der Mensch, du weißt's, weilt hier als flücht'ger
Gast;
Nun denk', wie für die kurze Erdenrast [1]
Er sorgt und sorgt, sich's recht bequem zu machen;
Und stell' dir's vor, welch' eine Überlast
Er emsig um sich häuft von Siebensachen,[2]
Sie hegt [3] und mehret [4] mit Gewalt und List—
Und wenn du noch so übler Laune bist,
Du mußt ob solcher Narrheit wieder lachen!

Richard Schmidt-Cabanis

* * *

21. Wer viel einst zu verkünden hat...

Wer viel einst zu verkünden hat,
Schweigt viel in sich hinein.
Wer einst den Blitz zu zünden hat,
Muß lange — Wolke sein.

Friedrich Nietzsche

* * *

22

(1)

Es bleibt der Mensch für Zeit und Ewigkeit
Der Erbe seiner Taten, seiner Worte —
Und wie sich Stunde auch an Stunde reiht,
Die Zukunft ist nur die Vergangenheit,
Die wiederkehrt durch eine andre Pforte.

(1) Für den kurzen Lebensweg auf der Erde. *Eine Rast* ist eine Wegestrecke, nach der man Pause macht. Meistens aber: die Pause nach einer solchen Strecke. (2) Allerlei Sachen. *Seine sieben Sachen zusammenpacken*, "to pack one's traps." (3) *Hegen* oder *hegen und pflegen*, Sorge tragen für. . . . (4) Vermehrt, vergrößert.

(2)

Nicht über dem Streit der Parteien steht
Die Wahrheit in stiller Majestät,
Doch steht sie unerkannt und allein
Oft machtlos zwischen den Partei'n.

(3)

Das ist ein häßliches Gebrechen,
Wenn Menschen wie die Bücher sprechen.
Doch reich und fruchtbar sind für jeden
Die Bücher, die wie Menschen reden.

(4)

Ob dir der Tag eine Wunde bringt,
Ob neue Freuden die Stunde bringt,
Ob leicht dein Leben, ob's schwer ist . . .
Sei glücklich, wenn es nicht leer ist.

(5)

Ich kenne manchen, der laut und dreist
Sich selbst mit liebreichen Worten preist.
Doch hab' ich nur wenige noch geseh'n,
Die froh sich selbst zu genießen verstehn.

Oscar Blumenthal

23

Kopf hoch, Beine breit!
Alles andre macht die Zeit.

Richard Dehmel

IX. VERGANGENHEIT UND TOD

1. Das Schloß Boncourt[1]

Ich träum' als Kind mich zurücke
Und schüttle mein greises Haupt.
Wie sucht ihr mich heim,[2] ihr Bilder,
Die lang' ich vergessen geglaubt?

Hoch ragt aus schatt'gen Gehegen
Ein schimmerndes Schloß hervor,
Ich kenne die Türme, die Zinnen,
Die steinerne Brücke, das Tor.

Es schauen vom Wappenschilde
Die Löwen so traulich mich an,
Ich grüße die alten Bekannten
Und eile den Burghof hinan.

Dort liegt die Sphynx am Brunnen,
Dort grünt der Feigenbaum,
Dort, hinter diesen Fenstern,
Verträumt' ich den ersten Traum.

(1) Chamisso (1781-1838) war ein geborener Franzose aus einem adligen Geschlecht, dessen Stammschloß Boncourt in der Provinz Champagne lag. Durch die Revolution vertrieben, siedelte die Familie nach Deutschland über, wo der junge Adalbert preußischer Offizier wurde. Nicht nur als romantischer Dichter und Prosaiker erwarb er großen Ruhm, er war auch als Naturforscher und Botaniker hervorragend. Wie treu er auch die neue Heimat geliebt hat, eine Sehnsucht nach dem eigentlichen Vaterlande blieb ihm immer. (2) *Heimsuchen*, zu Hause aufsuchen, meist in unangenehmer Weise: Das Land wurde von Krieg und Hungersnot *heimgesucht*.

Ich tret' in die Burgkapelle
Und suche des Ahnherrn Grab ;
Dort ist's, dort hängt vom Pfeiler
Das alte Gewaffen [1] herab.

Doch lesen umflort [2] die Augen
Die Züge der Inschrift nicht,
Wie hell durch die bunten Scheiben
Das Licht darüber auch bricht.

So stehst du, o Schloß meiner Väter,
Mir treu und fest in dem Sinn,
Und bist von der Erde verschwunden,
Der Pflug geht über dich hin.

Sei fruchtbar, o teurer Boden,
Ich segne dich mild und gerührt,
Und segn' ihn zwiefach, wer immer [3]
Den Pflug nun über dich führt.

Ich aber will auf mich raffen,[4]
Mein Saitenspiel [5] in der Hand,
Die Weiten der Erde durchschweifen
Und singen von Land zu Land.

Adalbert von Chamisso

2. Einst und jetzt

" Möchte [6] wieder in die Gegend,
Wo ich einst so selig war,
Wo ich lebte, wo ich träumte
Meiner Jugend schönstes Jahr ! "

(1) *Gewaffen*, selten für *Waffe* oder, wie hier wohl, *Wappen*. (2) Von Tränen getrübt, als wenn ein *Flor* (m. Trauerschleier) davor hinge. (3) Wer auch. (4) *Sich aufraffen*, all seine Kräfte zusammenraffen. (5) Dichterharfe. (6) Ergänze : *ich* möchte *gehen*.

Also sehnt' ich in der Ferne [1]
Nach der Heimat mich zurück,
Wähnend, in der alten Gegend
Finde sich das alte Glück.

Endlich ward mir nun beschieden
Wiederkehr ins traute Tal,
Doch es ist dem Heimgekehrten
Nicht zu Mut wie dazumal.

Wie man grüßet alte Freunde,
Grüß' ich manchen lieben Ort,
Doch im Herzen wird so schwer mir,
Denn mein Liebstes ist ja fort.

Immer schleicht sich noch der Pfad hin
Durch das dunkle Waldrevier,
Doch er führt die Mutter abends
Nimmermehr entgegen mir.

Mögen deine Grüße rauschen
Vom Gestein, du trauter Bach,
Doch der Freund ist mir verloren,
Der in dein Gemurmel sprach.

Baum, wo sind die Nachtigallen,
Die hier sangen einst so süß ?
Und wo, Wiese, deine Blumen,
Die mir Rosa sinnend [2] wies ? —

Blumen fort und Nachtigallen
Und das gute Mädchen auch !
Meine Jugend fort mit ihnen,
Alles wie ein Frühlingshauch !

Nikolaus Lenau

(1) In Amerika, wo sich der Dichter hinbegeben hatte um sein Glück zu versuchen. (2) Das Mädchen unterwies ihn in der symbolischen Bedeutung der Blumen (Vergißmeinnicht).

3. Aus der Jugendzeit

Aus der Jugendzeit, aus der Jugendzeit
Klingt ein Lied mir immerdar.
O wie liegt so weit, o wie liegt so weit,
Was mein einst war!

Was die Schwalbe sang, was die Schwalbe sang,
Die den Herbst und Frühling bringt,
Ob [1] das Dorf entlang, ob das Dorf entlang
Das jetzt noch klingt?

" Als ich Abschied nahm, als ich Abschied nahm,
Waren Kisten und Kasten schwer,
Als ich wiederkam, als ich wiederkam,
War alles leer."

O du Kindermund, o du Kindermund,
Unbewußter Weisheit froh,
Vogelsprachekund,[2] vogelsprachekund
Wie Salomo!

O du Heimatflur, o du Heimatflur,
Laß zu deinem heil'gen Raum
Mich noch einmal nur, mich noch einmal nur
Entflieh'n im Traum!

" Als ich Abschied nahm, als ich Abschied nahm,
War die Welt mir voll so sehr,
Als ich wiederkam, als ich wiederkam,
War alles leer."

Wohl die Schwalbe kehrt, wohl die Schwalbe kehrt,
Und der leere Kasten schwoll [3];

(1) Ich frage mich ob . . . (2) Der Vogelsprache kundig, d. h. die V. verstehend. (3) Verstehe: schwoll an, d. h. ich hatte mir wieder einen gewissen Besitz erworben.

Ist das Herz geleert, ist das Herz geleert,
Wird's nie mehr voll.

Keine Schwalbe bringt, keine Schwalbe bringt
Dir zurück, wonach du weinst;
Doch die Schwalbe singt, doch die Schwalbe singt
Im Dorf wie einst:

"Als ich Abschied nahm, als ich Abschied nahm,
Waren Kisten und Kasten schwer,
Als ich wiederkam, als ich wiederkam,
War alles leer!"

Friedrich Rückert

4. Der Kinderanzug

Mein alter Matrosenanzug, in dem ich noch farbige Spielkugeln [1] fand,
Wie erinnert sich in deinen kindlichen Taschen meine Hand!
Bröseln von Frühstücksbroten, ein kleiner Hufeisenmagnet,
Ein Notizbuch, in dem "Verzeichnis von Lehrern und Mitschülern" steht.
Ich weiß, im Vorderhof stand eine Puppe ganz in Stroh,
Da waren wir in der Zehnuhrpause froh.
Kruzifix, Kaiserbild, Tafel, Schwamm, Kreide und Stab,
Und die liebe grüne Bank, in die ich ein Loch geschnitten hab'.
Nachmittag um vier Uhr, wie liefen wir aus dem freundlichen Haus
Mit dem Fußball in die braunen, zertretenen Wiesen hinaus,
Und es war stark und roh und reißend und toll,

(1) Der übliche Name ist *der Murmel* oder *der Schusser*.

Niemals mehr atmete ich so lange und voll.
Eins fällt mir ein ; oft schaut' ich gebückt durch die Beine, wie durch ein Tor,
Und Sonne, Erde und Himmel kamen mir anders und fremder vor.

Franz Werfel

5. Vergessen

In meiner Großmutter Garten,
Auf der alten Rasenbank,
Wollt' ich die Gespielen erwarten
Vor dem Beet mit den dunklen Violen —
Sie sollten dort mich holen
Zu einem Maiengang.

Die Stunden kamen und gingen —
Weiß nicht, wie mir geschah . . .
Da hört' ich die Freunde singen,
Und wußt', daß sie mich vergessen,
Dieweil [1] ich in Träumen gesessen [2] —
So einsam stand ich da !

Wie war das nur geschehen ?
Ich sann das Herz mir schwer,[3]
Und mocht' doch von hinnen [4] nicht gehen ;
Denn der süße Duft der Violen
Stieg auf so heiß und verstohlen —
Wie ein Zauber war's um mich her . . .

Vergangen sind und verklungen
Darüber viel Jahr' und Wort' —

(1) Während. (2) Ergänze: vergessen *hatten* und gesessen *war*. (3) Ich *sann*, bis mir das Herz *schwer* wurde. Vergl.: wir *liefen* uns die Füße *wund*. (4) Von hier fort.

Was das Glück auch den andern gesungen,[1]
In meiner Großmutter Garten,
Zwischen Träumen und scheuem Erwarten —
Ich sitz' noch immer dort!

Marie Eugenie delle Grazie

6. Oft in der stillen Nacht

Oft in der stillen Nacht,
Wenn zag[2] der Atem geht,
Und sichelblank[3] der Mond
Am schwarzen Himmel steht,

Wenn alles ruhig ist,
Und kein Begehren schreit,
Führt meine Seele mich
In Kindeslande weit.

Dann seh' ich, wie ich schritt
Unfest mit Füßen klein,
Und seh' mein Kindesaug'
Und seh' die Hände mein

Und höre meinen Mund,
Wie lauter klar er sprach,
Und senke meinen Kopf
Und denk' mein Leben nach:

Bist du, bist du allweg
Gegangen also rein,
Wie du gegangen bist
Auf Kindesfüßen klein?

(1) Was das Glück den andern auch gesungen haben mag . . . (2) Bang und scheu. (3) Wie eine blanke Sichel.

Hast du, hast du allweg
Gesprochen also klar,
Wie einsten [1] deines Munds
Lautleise [2] Stimme war?

Sahst du, sahst du allweg
So klar ins Angesicht
Der Sonne, wie dereinst
Der Kindesaugen Licht?

Ich blicke, Sichel, auf
Zu deiner weißen Pracht;
Tief, tief bin ich betrübt
Oft in der stillen Nacht.

Otto Julius Bierbaum

7. Das Blatt im Buche

Ich hab' eine alte Muhme,[3]
Die ein altes Büchlein hat,
Es liegt in dem alten Buche
Ein altes, dürres Blatt.

So dürr sind wohl auch die Hände,
Die einst im Lenz ihr's gepflückt.
Was mag doch die Alte haben?
Sie weint, so oft sie's erblickt.

Anastasius Grün

8. Winter und Tod

Der Winter steigt, ein Riesenschwan, hernieder,
Die weite Welt bedeckt sein Schneegefieder.
Er singt kein Lied, so sterbensmatt er liegt,
Und brütend auf die tote Saat [4] sich schmiegt [5];

(1) Einst, damals. (2) Auch bei leisem Sprechen hell tönend. (3) Tante. (4) *Die Saat,* das besäte, aber noch kahle Feld. (5) Sich weich, sanft hinstreckt.

Der junge Lenz doch schläft in seinem Schoß,
Und saugt an seiner kalten Brust sich groß,[1]
Und blüht wohl einst in tausend Blumen auf,
Und jubelt einst in tausend Liedern auf.

So steigt, ein bleicher Schwan, der Tod hernieder,
Senkt [2] auf die Saat der Gräber sein Gefieder,
Und breitet weithin über stilles Land,
Selbst still und stumm, das starre Eisgewand;
Manch frischen Hügel, manch verweht Gebein,[3]
Wohl teure Saaten hüllt sein Busen ein; —
Wir aber stehn dabei und harren still,
Ob nicht der Frühling bald erblühen will?

Anastasius Grün

9. Der Wanderer in der Sägemühle

Dort unten in der Mühle
Saß ich in tiefer Ruh'
Und sah dem Räderspiele
Und sah den Wassern zu.

Sah zu der blanken Säge,
Es war mir wie ein Traum,
Die bahnte lange Wege
In einen Tannenbaum.

Die Tanne war wie lebend,
In Trauermelodie
Durch alle Fasern [4] bebend
Sang diese Worte sie:

(1) Saugt so lange, bis er groß ist. Vergl. auch weiter, S. 111, Anm. 1. (2) Läßt niederfallen. (3) Manches Gerippe, das schon ganz verwittert ist. (4) *Die Faser*, "fibre."

"Du kehrst zur rechten Stunde,
O Wanderer, hier ein;
Du bist's, für den die Wunde
Mir dringt ins Herz hinein,

"Du bist's, für den wird werden,
Wenn kurz gewandert du,[1]
Dies Holz im Schoß der Erden
Ein Schrein zur langen Ruh'."

Vier Bretter sah ich fallen,
Mir ward's ums Herze schwer,
Ein Wörtlein wollt' ich lallen,[2]
Da ging das Rad nicht mehr.

Justinus Kerner

10. Die Kapelle

Droben stehet die Kapelle,
Schauet still ins Tal hinab,
Drunten singt bei Wies' und Quelle
Froh und hell der Hirtenknab'.

Traurig tönt das Glöcklein nieder,
Schauerlich der Leichenchor;
Stille sind die frohen Lieder,
Und der Knabe lauscht empor.

Droben bringt man sie zu Grabe,
Die sich freuten in dem Tal.
Hirtenknabe, Hirtenknabe!
Dir auch singt man dort einmal.

Ludwig Uhland

(1) Wenn du deine kurze Wanderschaft vollbracht hast. (2) Stammeln.

11. Menschenleben

Die Wellen eilen wohl zum Meer,
Und keine kehret wieder her;
Doch auf den Fluten immer jung
Verklärend [1] schwebt Erinnerung.

Was je dein Herz in Lieb' gehegt,[2]
Und was die Flut von dannen trägt,
Verjüngt im Regenbogenglanz,
Erblüht es aus der Wellen Tanz.

Und endlich spielt, ein bunter Traum,
Das ganze Leben ob [3] dem Schaum,
Bis in das Meer die Sonne taucht,
Der Abendwind das Bild zerhaucht.[4]

Heinrich Falkland

12. Auf meines Kindes Tod

Von fern die Uhren schlagen,
Es ist schon tiefe Nacht,
Die Lampe brennt so düster,
Dein Bettlein ist gemacht.

Die Winde nur noch gehen
Wehklagend um das Haus,
Wir sitzen einsam drinnen
Und lauschen oft hinaus.

Es ist, als müßtest leise
Du klopfen an die Tür,
Du hätt'st dich nur verirret,
Und kämst nun müd' zu mir.

(1) Alles mit freudigem Licht erfüllend. (2) Die Gefühle und Wünsche, die dein liebendes Herz je in sich geschlossen hat. (3) Veraltet: über. (4) Hauchend (wehend) zerstreut.

Wir armen, armen Toren!
Wir irren ja im Graus
Des Dunkels [1] noch verloren —
Du fand'st dich längst nach Haus.

Joseph von Eichendorff

13. Die trippelnden Füße

Eilt' ich durch die Räume [2] im flüchtigen Schritt,
So trippelten sicher zwei Füßchen mit.
Wohin mich auch immer das Tagwerk gebracht,
Zwei Äuglein, die haben mich angelacht,
Zwei Füßchen, die waren flink wie der Wind,
Die folgten dem Mütterlein geschwind.

Nun ruht, was des prickelnden Lebens voll, [3]
Und einst vor Jugendlust überquoll! [4]
Doch ich ziehe wie damals durch das Haus,
Und höre im Lärm die Schritte heraus.
Sie folgen mir in der Freunde Kreis,
Sie huschen [5] hinter mir, flüchtig und leis'.

So leis' wie ein Hauch und doch so schwer,
Wo nehmen die Füßchen die Kraft nur her?
Sie treten nieder mein Ährenfeld,
— Du hast es geboten, Herr der Welt, —
Die trippelnden Füße, die doch ruh'n,
Wie können sie weh dem Herzen tun!

Helene Diesener

(1) In der unheimlichen Angst der Ungewißheit, des Zweifels über das Leben nach dem Tode. (2) Die Zimmer. (3) Ergänze: voll *war*. (4) Überfloß. *Quellen* (oder *quillen*), *quoll, gequollen* = entspringen (von Wasser). *Die Quelle*, "source." (5) Eilen ganz leise dahin.

14. Begrabe nur dein Liebstes

Begrabe nur dein Liebstes[1]! Dennoch gilt's[2]
Nun weiterleben ; — und im Drang des Tages,
Dein Ich behauptend,[3] stehst bald wieder du.
— So jüngst im Kreis der Freunde war es, wo
Hinreißend Wort zu lauter Rede schwoll,
Und nicht der Stillsten einer war ich selbst.[4]
Der Wein schoß Perlen im kristallnen Glas,
Und in den Schläfen hämmerte das Blut ;
Da plötzlich in dem hellen Tosen hört' ich —
Nicht Täuschung war's, doch wunderbar zu sagen —
Aus weiter Ferne hört' ich eine Stille ;
Und einer Stimme Laut, wie mühsam zu mir ringend,[5]
Sprach todesmüd', doch süß, daß ich erbebte :
" Was lärmst du so, und weißt doch, daß ich schlafe ! "

Theodor Storm

15. Zu spät

Sie haben dich fortgetragen,
Ich kann es dir nicht mehr sagen,
Wie oft ich bei Tag und Nacht
Dein gedacht,
Dein und was ich dir angetan
Auf dunkler Jugendbahn ;
Ich habe gezaudert, versäumet,
Hab' immer von Frist geträumet[6];
Über den Hügel[7] der Wind nun weht :
Es ist zu spät.

Friedrich Theodor Vischer

(1) Storm denkt hier an seine jung gestorbene erste Frau. (2) Ist es deine Aufgabe, mußt du . . . (3) Dich selbst in den Schwierigkeiten des Lebens aufrecht erhaltend. (4) Und wo ich nicht einer der Schweigsamsten war. (5 *Ringend* sich ihren Weg zu mir bahnend. *Ringen*, " struggle." (6) Habe mir immer eingebildet, ich hätte noch Zeit genug. (7) Grabhügel.

16. Die Mütter

Wenn das Spiel am schönsten war
Sommerabends in den Gärten,
Mußt' ich scheiden aus der Schar
Meiner kleinen Spielgefährten ;
Denn die Mutter rief : Mein Kind,
Komm geschwind !
Du mußt schlafen.

Nun, da lang die Mutter tot,
Winkt die ewige Mutter leise,
Deutet hin zum Abendrot,
Und sie spricht die alte Weise
In das schönste Spiel : Mein Kind,
Komm geschwind !
Du mußt schlafen — schlafen.

Paul Barsch

17. Familie

(meinen brüdern albert und heinrich)

Mir wird das Herz so bitter-schwer,
Hol' ich die alten Bilder [1] her
Der Eltern und der Brüder.
Verwehte [2] Jahre zieh'n herauf,
Vernarbte [3] Wunden wachen auf
Und zucken [4] plötzlich wieder.

Der Vater lief von Haus zu Haus
Und lief sich fast die Seele aus,[5]

(1) Photographien. (2) Längst vergangene, wie vom *Wehen* eines Sturmwindes hingerissene. (3) Stamm : *die Narbe,* " scar." (4) Verursachen wiederholt kurze, stechende Schmerzen. (5) Lief, bis er todmüde war.

Fünf Jungens satt zu kriegen [1]
Mit einem Fünfzigpfennigbrot.
Da hat man seine liebe Not [2] . . .
Zehn Kilo müßt' es wiegen !

Die Mutter immer bleich und krank,
Das ging so Jahr' und jahrelang ;
Wir schlichen nur auf Zehen.
Nur manchmal um ihr Bett herum,
Da saßen wir und hörten stumm
Die alte Wanduhr gehen.

Dann polterte ein Sarg herein,[3]
Der zog den zweiten hinterdrein,
Und den schob gleich ein dritter. —
Die Tischler hatten guten Lohn,
Die Totengräber grüßten schon
Und gar die Leichenbitter [4] !

Zwei Brüder sind der ganze Rest ;
Die andern hält die Erde fest,
Die wird nichts wiedergeben
Wir drei, wir schau'n uns oft so an . . .
Wer weiß, wer morgen von uns dran [5] —
Prost Brüder, Ihr sollt leben !

Ludwig Jacobowski

18. Das Grab

Ich schritt als Kind an des Vaters Hand
Durch den Friedhof, den schweigenden Garten.
Der Friedhof lag am Meeresstrand,
Die Wogen stampften und scharrten.

(1) Um seinen fünf Jungen genug zu essen geben zu können. *Satt,* " satiated." (2) Verstehe : Das war kein Leichtes ! (3) Brachten die Arbeiter *polternd* (" bustling ") den Sarg herein. (4) " Undertaker's men." (5) Dran (d. h. an die Reihe) kommt.

Wir suchten hin, wir suchten her —
Wir fanden der Mutter Grab nicht mehr.

Wir wußten, es trug ein Kreuzchen klein,
Gezimmert aus brauner Rinden.[1]
Das mochte wohl fortgekommen sein,
Wir konnten das Kreuz nicht finden.
Bekümmert schauten wir ringsumher
Und endlich traurig aufs weite Meer.

Dann nahm der Vater aus meiner Hand
Die mitgebrachten Rosen
Und streute sie aufs Hügelland
Wahllos den Namenlosen . . .

Franz Karl Ginzkey

19. Die erste Nacht

Jetzt kommt die Nacht, die erste Nacht im Grab.
O, wo ist aller Glanz, der dich umgab ?
In kalter Erde ist dein Bett gemacht.
Wie wirst du schlummern diese Nacht ?

Vom letzten Regen ist dein Kissen feucht,
Nachtvögel schrei'n, vom Wind emporgescheucht,[2]
Kein Lämpchen brennt dir mehr, nur kalt und fahl
Spielt auf der Schlummerstatt der Mondenstrahl.

Die Stunden schleichen — schläfst du bis zum Tag ?
Horchst du wie ich auf jeden Glockenschlag ?
Wie kann ich ruhn und schlummern kurze Frist,
Wenn du, mein Lieb, so schlecht gebettet bist ?

Isolde Kurz

(1) Siehe S. 15, Anm. 3. (2) *Emporscheuchen*, aufscheuchen, so erschrecken, daß sie wegfliegen.

20. Tag der Toten

(1 *November* 1914)

Heut ist der Tag der Toten. Niemals flossen
Um Tote so viel Tränen. Grab an Grab
Wölbt sich, und jedes hält umschlossen
Ein Herz, das freudig sich zum Opfer gab,
Zornheiß und voller [1] Sturm . . . Nun ruht
Die ausgelöschte Glut.

Die Not der Zeit, die unsere Toten mehrte,
Daß ihre Leichen hügelhaft getürmt,[2]
Sie war es auch, die sie das Sterben lehrte,
Daß sie wie Helden in die Schlacht gestürmt.
Sie sanken blutend in den Sand
Und jauchzten : Vaterland !

Auf Belgiens Boden und auf Frankreichs Fluren,
In Preußen, Polen, Rußland sanken sie,
Die vor dem siebenfachen Feinde schwuren :
Wir können sterben, aber *Deutschland* — nie !
Sie starben . . . aber uns erhebt
Das Wort : Wer so stirbt, lebt !

Am Tag der Toten laßt uns männlich trauern,
Streut Rosen auf ihr Grab und Lorbeer auch,
Und laßt das eine euch zu tiefst [3] durchschauern [4] ;
Deutschland zu schirmen bis zum letzten Hauch —
Und gilt es Opfer unerhört —
Bei unseren Toten : schwört!

Gustav Falke

(1) Eine unabänderliche Form von *voll*, die hauptsächlich vor einem Substantiv vorkommt. (2) Verstehe : welche die Zahl unsrer Toten dermaßen vermehrte, daß ihre Leichen sich berghoch angehäuft haben. Ergänze : getürmt *sind*. (3) Aufs tiefste. (4) "Thrill through you."

21. Den jungen Gefallenen

Im Mai,
Da träumten sie, wie süß das Leben sei,
Und im August,
Da haben sie alle zur Fahne gemußt.
Sie träumten noch,
Von Einzug träumten sie und Siegespreis,
Sie träumten von Heimkehr im Eichenreis,[1]
Von warmem Händedruck, von heißem Kuß —
Und keiner dachte an den Todesschuß.

Nun liegt so mancher schlanke Knab'
Im fernen, kalten Grab.
Er zog nicht ein, ihm ward kein Preis,[2]
Er kam nicht heim, geschmückt mit Eichenreis,
Niemandes Hand ihm Abschied bot,
Und niemand küßt' ihn als der Tod.

Weh, euer Leben verrann,
Eh' es begann !
Und doch, ihr Glücklichen ! Ihr kanntet nicht
Der jungen Träume klägliches Ermatten,[3]
Ihr kanntet nicht der Dämm'rung kalte Schatten,
Euch sank die Sonne nicht,[4]
Ihr selber sankt im hellsten Jugendsonnenlicht !
Und wie ihr noch verloht,[5]
Werft ihr uns einen neuen Schein
Wie Fackelglut ins Herz hinein :
Wir wissen nun : Das Leben ist gemein,[6]
Adlig ist nur der Tod !

Otto Hachtmann

(1) Im Schmuck der Eichenkränze. (2) Ihm wurde kein Preis zu teil. (3) Das jämmerliche Abschwächen und Verschwinden. (4) Ihr habt die Demütigung des Vaterlandes (nach dem Weltkriege) nicht gesehen. (5) Verstehe: Und während eure Lebensflamme verglüht, gerade in eurer Sterbestunde. (6) Von geringem Wert, im Gegensatz zu *adlig*.

22. Fremde Erde

Sei, fremde Erde, unsern Toten leicht,
Bedenke, daß du unser aller Mutter bist,
Nimm weich die Kinder auf, die ferne, fern
Vom letzten Kuß dort fanden bittern Tod —
Sei, fremde Erde, unsern Lieben leicht !

Ihr Kreuzlein, die der treue Kamerad
Fromm aufgestellt — verschämt weint er dazu —
Bleibt stehn, bleibt stehn, und keiner tilge aus
Des Feldes große Fruchtbarkeit,
Was ungezählt an kleinen Kreuzen sprießt ! [1]
Wie ruh'n sie zärtlich nahe, Freund und Feind,
Ganz brüderlich im lieben Mutterschoß !

Gewiß, die große Mutter meint es gut [2] —
Sei, fremde Erde, unsern Toten leicht !

Alexander von Gleichen-Rußwurm

23. Auf dem Kirchhof

Der Tag ging regenschwer und sturmbewegt,
Ich war an manch vergess'nem Grab gewesen.
Verwittert Stein und Kreuz, die Kränze alt,
Die Namen überwachsen, kaum zu lesen.

Der Tag ging sturmbewegt und regenschwer,
Auf allen Gräbern fror das Wort : Gewesen.
Wie sturmestot [3] die Särge schlummerten,
Auf allen Gräbern taute [4] still : Genesen.[5]

Detlev von Liliencron

(1) All diese unzähligen kleinen Kreuze, die da sprießen (d. h. die da wie Kräuter aufwachsen). Vergleiche : Was ich *an* Gütern besitze=sämtliche Güter, die ich besitze. (2) " Means well toward them." (3) Wie im Sturm des Lebens zu Grunde gegangen. (4) Im Gegensatz zu " fror." (5) Geheilt und gerettet.

24. Aller Seelen [1]

Wenn an dem Tag der Toten
Die Seelenkerze brennt,
Dann kommen deine Lieben
Und wärmen daran die Händ'.

Ihr geisterleises Nahen,
Du siehst und merkst es nicht,
Es flackert davon nur leise
Das Armenseelenlicht.

Von allem, was im Leben
Einst teuer ihnen hieß,
Sie haben nichts mehr zu eigen,[2]
Zu finden nichts mehr, als dies . . .

Sie suchen in deiner Seele
Das ärmste Plätzchen nur,
Sie wittern [3] in deinem Herzen
Nach ihrer letzten Spur.

Ein Wort nur, einen Gedanken
Wärm' ihnen an diesem Schein —
Es wollen an diesem Tage
Die Ärmsten zu dir herein!

Marie Eugenie delle Grazie

25. Unsterblichkeit

Muß sich das Hohe auch in diesem Leben
Dem Niedern beugen, tröste dein Gemüt!
Ein Narr ist jeder, der ein edles Streben
Verloren gibt, weil er die Frucht nicht sieht.

(1) Allerseelentag, der 1. November. In katholischen Gegenden (die Dichterin ist Österreicherin) is der 1. November, das Fest aller Heiligen, ein erkannter Feiertag, so daß die Friedhöfe am 1. noch mehr besucht werden als am 2. November. Beim Beten für die Seelenruhe der Verstorbenen werden in den Häusern geweihte Wachskerzen entzündet. (2) Als ihr eigenes. (3) *Nach etwas wittern*, etwas wahrzunehmen versuchen.

Wohl wird man dich, doch niemals das vergessen,
Was du getan und was dein Geist gedacht;
Denn um den kleinsten Lichtstrahl nur zu fressen,
So groß ist keine noch so[1] tiefe Nacht.

Blick' auf den Tag! Er starb auf diesen Firnen,[2]
Doch hinter jenen neuert sich sein Lauf,
Und so wie er steht hinter andern Stirnen,[3]
Was einmal groß war, größer wieder auf...

Georg Busse-Palma

26. Im Kreise

Beim Friedhof kam ich her mit meinem Knaben.
" Sag', Vater, werden Tote hier begraben?" —
" Ja, Kind." — " Und, Vater, als du selbst noch klein,
Grub man auch damals schon die Toten ein?" —
" Gewiß, mein Kind." — " Und bald, so übers Jahr,
Dann kommst du in die Erde auch, nicht wahr?
Dann wirst du auch ein seliger Vater[4] sein?" —
" Vielleicht, mein Kind." — " Dann kriegst du Blumen fein,
Dann muß ich auch Gebete für dich sagen
Und immer schwarze Trauerkleider tragen."
Er spricht's so fröhlich, seine Blicke leuchten,
Mir will sich schon das Auge heimlich feuchten,
Da fährt er fort und stolz glänzt sein Gesicht:
" Ich werd' doch auch mal seliger Vater, nicht?"
Ich leg' die Hand ihm auf die Schulter leis'
Und denk' gemut[5]: Kein Ende, nur ein Kreis.

Jacob Loewenberg

(1) *Noch so* (vor einem Adjektiv oder Adverb), wenn auch so (" however "). (2) *Der Firn*, schweizerisch für: mit vorjährigem Schnee bedeckter Berggipfel. Hier: Gipfel, Berg. (3) Im Gehirn (im Geiste) anderer Menschen. (4) Das Kind hört den Vater von seinem Vater sagen: mein *seliger* Vater, wie man ehrfurchtsvoll von einem Verstorbenen spricht (" of blessed memory "). (5) Mit bewegtem Gemüt.

X. VATERLAND—HEIMAT—WANDERSCHAFT

1. Der freie deutsche Rhein [1]

Sie sollen ihn nicht haben, den freien deutschen Rhein,
Ob sie wie gier'ge Raben sich heiser darnach schrei'n,[2]

Solang er, ruhig wallend, sein grünes Kleid noch trägt,
Solang ein Ruder schallend in seine Woge schlägt!

Sie sollen ihn nicht haben, den freien deutschen Rhein,
Solang sich Herzen laben au seinem Feuerwein, —

Solang in seinem Strome noch fest die Felsen stehn,
Solang sich hohe Dome [3] in seinem Spiegel sehn!

(1) Dieses Lied erschien 1840 und wurde mit solcher Begeisterung aufgenommen, daß innerhalb eines Jahres 150 Kompositionen dazu entstanden. Da es gegen die französische Rheinpolitik gerichtet war, entfesselte es in Frankreich große Aufregung. Alfred de Musset erwiderte es Februar 1841 mit seinem *Rhin allemand*:

"Nous l'avons eu, votre Rhin allemand;
Il a tenu dans notre verre,
Un couplet qu'on s'en va chantant
Efface-t-il la trace altière
Du pied de nos chevaux marqué dans votre sang?

Nous l'avons eu, votre Rhin allemand;
Son sein porte une plaie ouverte,
Du jour où Condé triomphant
A déchiré sa robe verte.
Où le père a passé passera bien l'enfant!" etc.

(2) So laut da(r)nach schreien, daß sie heiser ("hoarse") werden. Vergleiche: sich müde laufen, sich satt essen, sich tot arbeiten. (3) Die stolzen Kathedralen von Wesel, Köln, Mainz, Speyer and Straßburg.

Sie sollen ihn nicht haben, den freien deutschen Rhein,
Solang dort kühne Knaben um schlanke Dirnen frei'n,

Solang die Flosse[1] hebet ein Fisch an seinem Grund,
Solang ein Lied noch lebet in seiner Sänger Mund!

Sie sollen ihn nicht haben, den freien deutschen Rhein,
Bis seine Flut'n begraben des letzten Manns Gebein!

Nikolaus Becker

2. Die Wacht am Rhein[2]

Er braust ein Ruf wie Donnerhall,
Wie Schwertgeklirr und Wogenprall[3]:
" Zum Rhein, zum Rhein, zum deutschen Rhein,
Wer will des Stromes Hüter sein?"
Lieb Vaterland, magst ruhig sein,
Fest steht und treu die Wacht am Rhein!

Durch Hunderttausend zuckt[4] es schnell,
Und aller Augen blitzen hell:

(1) *Die Flosse* ist das Schwimmorgan eines Fisches. (2) Dieses von Schneckenburger (1819-1849) gedichtete und von Karl Wilhelm (1815–1875) vertonte Lied wurde 1845 zum ersten Mal in Krefeld gesungen, anläßlich der silbernen Hochzeit des preußischen Kronprinzen, des späteren Kaisers Wilhelm I. Es war offenbar eine Antwort auf die Bestrebung Frankreichs, den Rhein als Grenze zu besitzen. Im siebziger Krieg erhielt es erst seine hohe Bedeutung und wurde seitdem geradezu zur Nationalhymne. Der Sänger sollte den von ihm prophetisch besungenen Triumph nicht erleben. Dem Komponisten, der zur Zeit des französischen Krieges in dürftigen Verhältnissen in Schmalkalden (Thüringen) lebte, wurden damals große Huldigungen dargebracht und Fürst Bismarck verlieh ihm einen Ehrensold. (3) Wie anprallende (heranstürmende) Wogen. (4) Hunderttausende erzittern beim Hören dieses Weckrufs. Vergl. Es *zuckt* mir durch die Glieder, " it thrills all through me."

Der deutsche Jüngling, fromm und stark,
Beschirmt die heil'ge Landesmark.[1]
Lieb Vaterland, magst ruhig sein,
Fest steht und treu die Wacht am Rhein!

Er blickt hinauf in Himmelsau'n,[2]
Wo Heldengeister niederschau'n,
Und schwört mit stolzer Kampfeslust:
"Du, Rhein, bleibst deutsch wie meine Brust."
Lieb Vaterland, magst ruhig sein,
Fest steht und treu die Wacht am Rhein!

Und ob mein Herz im Tode bricht,
Wirst du doch drum ein Welscher[3] nicht!
Reich, wie an Wasser deine Flut,
Ist Deutschland ja an Heldenblut.
Lieb Vaterland, magst ruhig sein,
Fest steht und treu die Wacht am Rhein!

So lang ein Tropfen Blut noch glüht,
Noch eine Faust den Degen zieht,
Und noch ein Arm die Büchse spannt,[4]
Betritt kein Feind hier deinen Strand.
Lieb Vaterland, magst ruhig sein,
Fest steht und treu die Wacht am Rhein!

Der Schwur erschallt, die Woge rinnt,
Die Fahnen flattern hoch im Wind:
"Am Rhein, am Rhein, am deutschen Rhein,
Wir alle wollen Hüter sein!"
Lieb Vaterland, magst ruhig sein,
Fest steht und treu die Wacht am Rhein!

Max Schneckenburger

(1) Landesgrenze. Eigentlich: die mit einer starken Garnison belegte Grenzprovinz. (2) *Eine Au*, eine Wiese Eine Verdeutschung von *Elysii campi*. (3) *Der Welsche*, (verwandt mit *Wale* und *Gallier*) ist der Fremde romanischer Sprache, hier der Franzose. (4) Das Gewehr schußbereit macht.

3. Bekenntnis

1914

Immer schon haben wir eine Liebe zu dir gekannt,
Bloß wir haben sie nie mit einem Namen genannt.
Als man uns rief, da zogen wir schweigend fort,
Auf den Lippen nicht, aber im Herzen das Wort
Deutschland !

Unsere Liebe war schweigsam ; sie brütete [1] tiefver-
steckt,
Nun ihre Zeit gekommen, hat sie sich hochgereckt.
Schon seit Monden schirmt sie in Ost und West dein
Haus,
Und sie schreitet gelassen durch Sturm und Wetter-
graus,[2]
Deutschland !

Daß kein fremder Fuß betrete den heimischen Grund,
Stirbt ein Bruder in Polen, liegt einer in Flandern
wund.
Alle schützen wir deiner Grenze heiligen Saum.
Unser blühendes Leben für deinen dürrsten Baum,
Deutschland !

Immer schon haben wir eine Liebe zu dir gekannt,
Bloß wir haben sie nie mit einem Namen genannt.
Herrlich offenbarte es erst deine größte Gefahr,
Daß dein ärmster Sohn auch dein getreuester war.
Denk' es, o Deutschland !

Karl Bröger

(1) Sie lebte nur im Keim (wie der junge Vogel im Ei, das ausge*brütet* wird). (2) Scheußliches (*grausiges*) Wetter ; hier : das Toben der Schlachten.

4. Mignon [1]

Kennst Du das Land, wo die Zitronen blüh'n,
Im dunkeln Laub die Goldorangen glüh'n,
Ein sanfter Wind vom blauen Himmel weht,
Die Myrte [2] still und hoch der Lorbeer steht?
Kennst Du es wohl?
Dahin! Dahin
Möcht' ich mit Dir, o mein Geliebter,[3] zieh'n!

(1) In seinem Roman *Wilhelm Meisters Lehrjahre* erzählt Goethe von einem jungen italienischen Mädchen, das von Seiltänzern entführt und über die Alpen nach Deutschland mitgenommen wurde. Da wird die Dreizehnjährige von Wilhelm Meister losgekauft. Wie herzlich sie auch ihrem Befreier zugetan ist, die Sehnsucht nach der sonnigen Heimat verläßt sie nie. Aus Mignons Lied spricht aufs deutlichste Goethes schwärmerische Bewunderung für Italiens Himmel und Kunst.—Der Roman erzählt, wie Mignon ihr Lied vorträgt: "Sie fing jeden Vers feierlich und prächtig an, als ob sie auf etwas Sonderbares aufmerksam machen, als ob sie etwas Wichtiges vortragen wollte. Bei der dritten Zeile ward der Gesang dumpfer und düsterer; das *Kennst du es wohl?* drückte sie geheimnisvoll und bedächtig aus; in dem *Dahin! Dahin!* lag eine unwiderstehliche Sehnsucht, und ihr *Laß uns zieh'n!* wußte sie bei jeder Wiederholung dergestalt zu modifizieren, daß es bald bittend und dringend, bald treibend und vielversprechend war."—Diese liebliche Schöpfung Goethes hat viele Künstler inspiriert: die von Beethoven zum Mignon-Liede komponierte Melodie rührte Goethe bis zu Tränen; in der Oper Mignon von Ambroise Thomas (1866) ist das Lied auch vertont auf französischen Text von M. Carré und J. Barbier:

"Connais-tu le pays où fleurit l'oranger,
Le pays des fruits d'or et des roses vermeilles,
Où la brise est plus douce et l'oiseau plus léger
Où en chaque saison butinent les abeilles?" etc.

(2) *Die Myrte* ist ein Strauch mit kleinen, weißen, duftenden Blüten. Diese sind das Sinnbild der stillen Liebe.
(3) Man beachte, daß das Mädchen ihren edlen Befreier unter Italiens Himmel als "Geliebten" begrüßen möchte;

Kennst Du das Haus? Auf Säulen ruht sein Dach,
Es glänzt der Saal, es schimmert das Gemach,
Und Marmorbilder stehn und sehn mich an:
Was hat man Dir, Du armes Kind, getan[1]?
Kennst Du es wohl?
Dahin! Dahin
Möcht' ich mit Dir, o mein Beschützer, zieh'n!

Kennst du den Berg und seinen Wolkensteg[2]?
Das Maultier sucht im Nebel seinen Weg,
In Höhlen wohnt der Drachen alte Brut;
Es stürzt der Fels und über ihn die Flut.
Kennst Du ihn wohl?
Dahin! Dahin
Geht unser Weg. O Vater, laß uns zieh'n!

Johann Wolfgang von Goethe

5. Lied vom Rhein

Mein Heimatland, o du herrlicher Rhein,
Du Perle des Westens, grüngoldige Flut,
Deine Männer sind stark, deine Frauen sind gut,
Es ist eine Lust, dein Kind zu sein!

Wie blauet dein Himmel so tief und so klar!
Wie wallet in goldenen Ähren das Land,
Auf den Hügeln zu Tal,[3] an der Ebene Rand,
Wie schwillest[4] von Segen du wunderbar!

im kalten Norden erblickt sie in ihm nur einen "Beschützer"; auf dem rauhen Alpenweg, der zur Heimat führt, schmiegt sie sich an ihn, wie an einen "Vater."

(1) Die Marmorbilder sind hier personifiziert: mitleidig reden sie dem Kinde zu. (2) Der in Nebel verhüllte Gebirgspfad über die Alpen. (3) Talwärts, hinunter. (4) *Schwillst*, von *schwellen*; hier: wie bist du überfüllt.

Von deinen Bergen, wie sieht es sich [1] weit!
Wie atmet die Seele so kühn dort und frei!
In der Tiefe ziehen die Schifflein vorbei,
Zögernd [2] hinweg aus der Herrlichkeit.

Im Hochland aber, da halten sie Wacht
Noch immer, die Burgen der Ritter, wie hehr!
Wohl erdröhnet das Horn des Wächters nicht mehr,
Doch lieben wir sie, nun vorbei ihre Macht.

O Rhein! Und es spiegeln sich Dome groß [3]
In der Fluten, der leise schauernden,[4] Schaum;
Gewaltige Kaiser träumen den Traum
Versunkener Glorie in ihrem Schoß.[5]

Mein Heimatland, o du herrlicher Rhein,
Du Perle des Westens, grüngoldige Flut!
Deine Männer sind stark, deine Frauen sind gut,
Es ist eine Lust, dein Kind zu sein!

Christian Joseph Matzerath

(1) Wie kann man weit sehen. Das Reflexive ersetzt hier das Passive mit unbestimmtem Subjekt. Vergl. In diesem Sessel *sitzt es sich* recht bequem. Wie *wandert es sich* schön im Gebirge! (2) Ungern, weil sie in dieser herrlichen Landschaft noch verweilen möchten. (3) Siehe S. 134, Anm. 3. (4) In der Poesie wird das Adjektiv oft substantiviert und dem Substantiv als Apposition beigefügt, z. B.: *die zitternde Hand* wird *die Hand, die zitternde.* Verstehe: in dem Schaum der leise schauernden Fluten. *Schauern*=sich leise kräuseln. (5) Unter dem Chor des Doms zu Speyer war die Kaisergruft, wo im Mittelalter mehrere Kaiser u. a. Rudolf von Habsburg begraben wurden. Der Dom wurde 1689 und 1794 von den Franzosen geplündert; bei der ersten Plünderung wurden sogar die Särge durchwühlt.

6. Am Rhein

O, daß du bei mir wärst [1] zu dieser Stunde !
Dort auf den Hügeln ruht der Dämmerschein,
Und märchenhaft dahin im breiten Grunde [2]
Dem Abendrot entgegen fließt der Rhein.

Der Rhein ! der Rhein ! Was brauch' ich mehr zu sagen ?
Faßt sich in diesem einen Worte nicht
Die Poesie von unsern schönsten Tagen —
Ja, ist dies Wort allein nicht ein Gedicht ?

So fühlten oft voll Sehnsucht unsre Seelen,
So flogen sie dem Reich der Träume zu —
Warum, warum, mußt du nun heute fehlen ?
Vielleicht wär' es zu viel — der Rhein und du !

Julius Rodenberg

7. Heimatland

Ein Bauernhäuschen, strohbedeckt,
Auf der Weide zwei grasende Schimmel,
Ein kleiner Garten, von Linden versteckt,
Darüber der blaue Himmel,
Und schnittreife [3] Felder im Sonnenbrand,
Und Friede auf allen Pfaden, —
Heimatland, liebes Heimatland,
Schütze dich Gott in Gnaden !

Carl Bulcke

8. Ich liebe das Meer . . .

Ich liebe das Meer so grenzenlos
In Sturm und Sonnenschimmer
Und liebe zu teilen den strudelnden Schoß
Mit kräft'gem Arm als Schwimmer.

(1) O, wenn du doch bei mir wärest ! (2) Tale.
(3) Reif zum Abmähen.

Ich liebe die Nacht, die schwebt ins Tal
Auf breiten, dunkeln Schwingen,
Und die Heide, funkelnd im Morgenstrahl,
Mit Gräsern und Schmetterlingen.

Ich liebe den Berg, darum [1] mit Macht
Die Donner Gottes brausen,
Und lieb' auf Höh'n um Mitternacht
Der Wipfel stilles Sausen.

Ich liebe die Sterne, die leuchtend gehn
Und glitzern im Meeresgrunde,
Und der goldenen Ährenfelder Wehn
Am blauen, blitzenden Sunde.[2]

Ich liebe vor allem den wilden Wald
Im Sonnen- und Mondenlichte,
Den rauschenden Wald, den deutschen Wald
Mit Tann' und Eich' und Fichte.

Heinrich Vierordt

9. Es ist eine alte Stadt . . .

Es ist eine alte Stadt,[3]
Fernab der Städte Heer ;
Der Sturm braust über die Stadt,
Und draußen donnert das Meer.

Es ist ein altes Haus,
Verschlossen ist lange das Tor ;
Aus grauen Mauern sprießen
Grüne Halme hervor.

(1) Um den herum. (2) *Der Sund,* Meerenge (vorzugsweise die zwischen der dänischen Insel Seeland und Schweden) ; hier : Meer. (3) Die Heimatstadt des Dichters ist Königsberg, die Hauptstadt der Provinz Ostpreußen. Königsberg hat zum Teil noch altertümliches Gepräge und ist die einzige bedeutende Stadt der Provinz.

Es ist ein banges Herz
Fremd und allein;
Die Stadt und das Haus und das Herz
Meine Jugend schlossen sie ein.

Karl Bulcke

10. Die Stadt [1]

Am grauen Strand, am grauen Meer
Und seitab [2] liegt die Stadt;
Der Nebel drückt die Dächer schwer,
Und durch die Stille braust das Meer
Eintönig um die Stadt.

Es rauscht kein Wald, es schlägt im Mai
Kein Vogel ohn' Unterlaß [3];
Die Wandergans mit hartem Schrei
Nur fliegt in Herbstesnacht vorbei,
Am Strande weht das Gras.

Doch hängt mein ganzes Herz an dir,
Du graue Stadt am Meer;
Der Jugend Zauber für und für [4]
Ruht lächelnd doch auf dir, auf dir,
Du graue Stadt am Meer.

Theodor Storm

11. Abschied

Nun ist die Scheidestunde da,
Das Morgenrot rückt schon ins Land,
Die Mutter küßt mich tränenfeucht,
Der Vater beut [5] mir still die Hand.

(1) Das schleswigsche Städtchen Husum, 10400 Einwohner, unweit der Nordsee, der Heimatsort des Dichters. (2) Etwa 2 km landeinwärts. (3) Unaufhörlich. (4) Immerfort. (5) Alte Form von *bietet*.

Ich wand're durch den jungen Tag
Den grünen Hügelhang empor ;
Noch klingt ein jedes Abschiedswort,
Der letzte Gruß mir noch im Ohr.

Und auf der Heimat fernstem Pfad
Tönt hinter mir ein leiser Schritt ;
Es faßt mich schmeichelnd an der Hand —
" Ich bin das Heimweh, nimm mich mit ! "

Adolf Frey

12. Der Mai ist gekommen

Der Mai ist gekommen, die Bäume schlagen aus,[1]
Da bleibe, wer Lust hat, mit Sorgen zu Haus ;
Wie die Wolken dort wandern am himmlischen Zelt,[2]
So steht auch mir der Sinn in die weite, weite Welt.

Herr Vater, Frau Mutter, daß Gott euch behüt' !
Wer weiß, wo in der Ferne mein Glück mir noch blüht !
Es gibt so manche Straße, da nimmer ich marschiert,
Es gibt so manchen Wein, den ich nimmer noch probiert.

Frisch auf[3] drum, frisch auf im hellen Sonnenstrahl,
Wohl über die Berge, wohl durch das tiefe Tal !
Die Quellen erklingen, die Bäume rauschen all',
Mein Herz ist wie 'ne Lerche, und stimmet ein mit Schall.

Und abends im Städtlein, da kehr' ich durstig ein :
" Herr Wirt, Herr Wirt, eine Kanne blanken Wein !
Ergreife die Fiedel, du lust'ger Spielmann du,
Von meinem Schatz das Liedel[4] sing' ich dazu."

(1) Treiben Knospen. (2) Siehe S. 10, Anm. 3. (3) Cheer up ! (4) Süddeutsche Diminutivform für *Liedlein*. Vergl. *Mädel, Kindl, Hänsel und Gretel,* usw.

Und find' ich kein' Herberg', so lieg' ich zur Nacht
Wohl unter blauem Himmel, die Sterne halten Wacht;
Im Winde die Linde, die rauscht mich ein [1] gemach,[2]
Es küsset in der Früh' das Morgenrot mich wach.

O Wandern, o Wandern, du freie Burschenlust!
Da wehet Gottes Odem so frisch in die Brust;
Da singet und jauchzet das Herz zum Himmelszelt:
Wie bist du doch so schön, o du weite, weite Welt!

Emanuel Geibel

13. Wanderlied

Wohlauf! noch getrunken
Den funkelnden Wein!
Ade nun, ihr Lieben!
Geschieden muß sein.[3]
Ade nun, ihr Berge,
Du väterlich Haus!
Es [4] treibt in die Ferne
Mich mächtig hinaus.

Die Sonne, sie bleibet
Am Himmel nicht stehn,
Es treibt sie, durch Länder
Und Meere zu gehn.
Die Woge nicht rastet [5]
Am einsamen Strand,
Die Stürme, sie brausen
Mit Macht durch das Land.

Mit eilenden Wolken
Der Vogel dort zieht,

(1) In Schlaf. (2) Leise. (3) Wir müssen scheiden. (4) *Es* bezeichnet hier, und auch weiter in diesem Gedichte, etwas Unbestimmtes, irgend einen innern Drang. (5) Hält nicht, bleibt nicht. Siehe auch S. 111, Anm. 1.

Und singt in der Ferne
Ein heimatlich Lied.
So treibt es den Burschen
Durch Wälder und Feld,
Zu gleichen der Mutter,
Der wandernden Welt.[1]

Da grüßen ihn Vögel
Bekannt überm Meer,
Sie flogen von Fluren
Der Heimat hieher;
Da duften die Blumen
Vertraulich um ihn,
Sie trieben vom Lande
Die Lüfte dahin.

Die Vögel, die kennen
Sein väterlich Haus.
Die Blumen einst pflanzt' er
Der Liebe zum Strauß,[2]
Und Liebe, die folgt ihm,
Sie geht ihm zur Hand:
So wird ihm zur Heimat
Das ferneste Land.

Justinus Kerner

14. Der frohe Wandersmann

Wem Gott will rechte Gunst erweisen,
Den schickt er in die weite Welt;
Dem will er seine Wunder weisen[3]
In Berg und Wald und Strom und Feld.

(1) Um zu tun wie unsere Mutter, die Erde, die ebenfalls wandert. (2) Um seiner Geliebten einen Strauß zu binden. (3) Zeigen, offenbaren.

Die Trägen, die zu Hause liegen,
Erquicket nicht das Morgenrot;
Sie wissen nur von Kinderwiegen,
Von Sorgen, Last und Not um Brot.

Die Bächlein von den Bergen springen,
Die Lerchen schwirren [1] hoch vor Lust,
Was sollt' ich nicht mit ihnen singen
Aus voller Kehl' und frischer Brust?

Den lieben Gott laß ich nur walten;
Der Bächlein, Lerchen, Wald und Feld
Und Erd' und Himmel will erhalten,
Hat auch mein' Sach' aufs best' bestellt!

Joseph von Eichendorff

15. Sehnsucht

Es schienen so golden die Sterne;
Am Fenster ich einsam stand
Und hörte aus weiter Ferne
Ein Posthorn im stillen Land.
Das Herz mir im Leib entbrennte,[2]
Da hab' ich mir heimlich gedacht:
Ach, wer da mit reisen könnte
In der herrlichen Sommernacht!

Zwei junge Gesellen gingen
Vorüber am Bergeshang,
Ich hörte im Wandern sie singen,
Die stille Gegend entlang,
Von schwindelnden Felsenschlüften,[3]
Wo die Wälder rauschen so sacht,

(1) Siehe S. 14, Anm. 7. (2) Die übliche Form ist *entbrannte*. (3) *Die Schluft* (Plur. *Schlüfte*) ist eine Nebenform von *die Schlucht*, enges, tief eingeschnittenes Gebirgstal.

Von Quellen, die von den Klüften
Sich stürzen in Waldesnacht.

Sie sangen von Marmorbildern,
Von Gärten, die überm Gestein
In dämmernden Lauben verwildern,[1]
Palästen im Mondenschein,
Wo die Mädchen am Fenster lauschen,
Wenn der Lauten Klang erwacht,
Und die Brunnen verschlafen[2] rauschen
In der prächtigen Sommernacht.

Joseph von Eichendorff

16. Schwalbenlied

Aus fernem Land,
Vom Meeresstrand,
Auf hohen, luftigen Wegen
Fliegst, Schwalbe, du
Ohne Rast und Ruh'
Der lieben Heimat entgegen.

O sprich, woher
Über Land und Meer
Hast du die Kunde vernommen,
Daß im Heimatland
Der Winter schwand,
Und der Frühling, der Frühling gekommen?

Dein Liedchen spricht:
" Weiß selber nicht,
Woher mir gekommen die Mahnung;
Doch fort und fort,
Von Ort zu Ort
Lockt mich die Frühlingsahnung.

(1) Die so wild verwachsen sind, daß sie über den Felsen dunkle (schattige) Lauben bilden. (2) Schlaftrunken, schläfrig.

So ohne Rast,
In freudiger Hast,
Auf hohen, luftigen Wegen
Flieg' ich unverwandt [1]
Dem Heimatland,
Dem lenzgeschmückten, entgegen!"

Julius Sturm

17. Am Wärterhaus [2]

Ich stand so oft als Knabe
Am kleinen Wärterhaus,
Lugt' [3] nach den Dampfeswolken
Der Lokomotive aus.

Und wenn dann heulend, zischend,
Gebraust kam der Koloß,
Von weitem langsam . . . sausend
An mir vorüberschoß,

Dann starrte ich wohl lange
Dem letzten Wagen nach,
Bis leer vor mir und einsam
Der Strang der Schienen [4] lag!

"Wer auch so könnte fahren
Hinaus ins weite Land!"
Mir hat im kleinen Herzen
Die Sehnsucht heiß gebrannt.

Nun bin ich hinausgefahren
Mit sausendem, brausendem Zug,

(1) Ohne den Blick vom Ziel abzuwenden. (2) Am Haus des Bahnwärters. (3) *Auslugen*, spähen (vergl. das Engl. *to look*). (4) *Der Schienenstrang*, das Gleis oder Geleise.

Ein Jüngling, voller [1] Sehnsucht,
Das Herz mir bebend schlug !

Und möchte doch wiederkehren
Zum kleinen Wärterhaus
Und wieder als Knabe lugen
Den Schienenstrang hinaus !

George von Ompteda

18. Der Lindenbaum

Am Brunnen vor dem Tore
Da steht ein Lindenbaum.
Ich träumt' in seinem Schatten
So manchen süßen Traum.

Ich schnitt in seine Rinde
So manches liebe Wort ;
Es [2] zog in Freud' und Leide
Zu ihm mich immer fort.

Ich mußt' auch heute wandern
Vorbei in tiefer Nacht,
Da hab' ich noch im Dunkeln
Die Augen zugemacht.

Und seine Zweige rauschten,
Als riefen sie mir zu :
Komm her zu mir, Geselle,
Hier find'st du deine Ruh' !

Die kalten Winde bliesen
Mir grad' ins Angesicht,
Der Hut flog mir vom Kopfe,
Ich wendete mich nicht.

(1) Siehe S. 129, Anm. 1. (2) Siehe S. 145, Anm. 4.

Nun bin ich manche Stunde
Entfernt von jenem Ort,
Und immer hör' ich's rauschen :
Du fändest Ruhe dort !

Wilhelm Müller

19. Heimweh

Nach der Heimat möcht' ich wieder,
In der Heimat möcht' ich sein,
Strahlt mir doch noch 'mal so golden,[1]
Dort der lieben Sonne Schein.
In der Heimat wohnt die Liebe,
In der Heimat weilt die Lust,
In der Heimat atmet freier
Wieder die bedrängte Brust.

Seh' ich hier die grünen Fluren,
Dort der Schiffe Wimpel weh'n,
Denk' mit Wehmut ich der Heimat,
Wo mir alles doppelt schön.
In der Heimat wohnt die Liebe,
In der Heimat weilt die Lust,
In der Heimat atmet freier
Wieder die bedrängte Brust.

Vater, lieber Vater droben,
Laß es gnädig mir gescheh'n,
Laß die ferne traute Heimat,
Mich noch einmal wiedersehn.
In der Heimat wohnt die Liebe,
In der Heimat weilt die Lust,
In der Heimat atmet freier
Wieder die bedrängte Brust.

Hermann Lingg

(1) Doppelt glänzend.

20. In die Welt hinaus

Sie hatten sich keines Glücks erfreut,
Der Arbeit fehlte der Segen ;
Es lagen nirgends Rosen gestreut
Auf ihren dornigen Wegen.

Da faßten sie Mut zum schweren Entschluß,
Der Heimat Valet [1] zu sagen ;
Sie wanden sich los [2] mit stummem Kuß
Und unterdrückten ihr Klagen.

Sie rafften zusammen Stück für Stück
Der letzten übrigen Habe,
Wohl blickten sie oft und oft zurück,
Als ging' es von einem Grabe.[3]

Und da nun am langen Schienenstrang
Den Zug sie erwartend saßen,
Und die verschleierte Ferne lang
Mit träumendem Auge maßen,

Da meinten sie, in den Lüften der Draht
Beginne auf einmal zu singen
Und ihnen mit manchem guten Rat
Einen Abschiedsgruß zu bringen :

" Wohl habt ihr gestritten, gelitten viel,
Doch lebt noch die Hoffnung im Herzen,
Ihr werdet erschauen der Reise Ziel
Und eure Wunden verschmerzen.[4]

(1) Das lateinische Wort für Lebewohl (eigentlich *vale*). (2) *Sich loswinden,* sich schmerzvoll losreißen. *Winden,* " wrest." (3) Als wenn sie sich von einem Grabe trennen sollten. (4) Den Schmerz eurer Wunden verbeißen oder vergessen.

Doch wenn ihr gegründet ein eignes Haus,
Vergeßt nicht des Stübleins, des fernen!
Ihr wandert ja nur in die Welt hinaus,
Die Heimat erst[1] lieben zu lernen."

Martin Greif

21. Landstreicher

Landstreicher, die wandern landein und landaus,
Überall in der Fremde und nirgends zu Haus.
Wer erst Sohlen verwandert[2] an zweierlei Schuh'n,[3]
Der kann nicht mehr ruh'n —
Selbst nicht in den Gärten von Avalun.[4]

Wenn der Kuckuck lockt und die Blüten schwell'n,
Dann halte ein andrer die armen Gesell'n.[5]
Sie weinen und wissen: es wird uns gescheh'n,
Daß wir am Wege verloren gehn —
Doch wer kann dem Kuckuck[6] wohl widerstehn?

Wenn auf schweigender Heide der Schlummer sie traf,
Dann wandern die Füße noch weiter im Schlaf.
Und sinken sie sterbend ins Heidegras —
Zwei spätere Wandrer: Horch', was ist das?
Es rauschen ja Füße vor uns durchs Gras[7]! . . .

Georg Busse-Palma

(1) Gerade, just. (2) Wandernd abgenutzt. (3) Also Schuhe, die man sich erbettelt hatte und nicht einmal zum selben Paare gehörten. (4) In den märchenhaften Gärten der Halbinsel *Avalon* (Somerset), wo nach den Arthur-Romanen die wunden und erschöpften Ritter von Feen gepflegt wurden. (5) Da mag ein andrer versuchen, sie vom Wandern abzuhalten. (6) Dem Weckruf des Vogels, der kein eignes Nest hat. (7) Ihre Seelen müssen nach ihrem Tode noch auf der Heide umherirren.

22. Heimkehr

Vor der Türe meiner Lieben [1]
Häng' ich auf den Wanderstab ;
Was mich durch die Welt getrieben,
Leg' ich ihr zu Füßen ab.

Wanderlustige Gedanken,
Die ihr flattert nah und fern,
Fügt euch in die engen Schranken
Ihrer treuen Arme gern !

Was uns in der weiten Ferne
Suchen hieß ein eitler Traum,[2]
Zeigen uns der Liebe Sterne
In dem traulich kleinen Raum.

Schwalben kommen hergezogen —
Setzt euch, Vöglein, auf mein Dach !
Habt euch müde schon geflogen,[3]
Und noch ist die Welt nicht wach.

Baut in meinen Fensterräumen
Eure Häuschen weich und warm !
Singt mir zu in Morgenträumen
Wanderlust und Wanderharm [4] !

Wilhelm Müller

23. Heimkehr

Wieder zog ich in die schmale
Graue, winkeltiefe [5] Gasse,
Wo mich alle Leute kennen,
Deren Namen ich vergessen,

(1) Als Genitiv weiblich Einzahl aufzufassen. (2) Verstehe : Was ein eitler Traum uns in der weiten Ferne zu suchen hieß (befahl, antrieb) . . . (3) Siehe S. 118, Anm. 3, und S. 134, Anm. 2. (4) Lust und Leid beim Wandern. (5) Mit tiefen Winkeln zwischen den Häusern.

Und dieselben alten Hüte
Mich gevattermäßig [1] grüßen.
Kehr' ich spät und immer später,
Mag ich draußen König werden
Und den Erdball umgestalten:
Sie sind immer noch dieselben,[2]
Und ich wuchs auf ihrem Pflaster,
Und ich spielte ihre Spiele,
Und so bin ich ihresgleichen.
Und es ist, als wär' Verwirrung
Draußen aller Kampf gewesen,[3]
Und ich wär' von langem Fieber
Diese Stunde erst genesen.
Und da stehn sie in den Toren
Mit den Frauen, mit den Kindern,
Um mir linde Luft und Sonne,
Mut auf neuem Weg zu wünschen.
Wenn ich Dankesworte streue
Wie Dukaten für die Güte,
Heben sie die alten Hüte
Und verneigen sich aufs neue.

Joseph Adolf Bondy

24. Heimkehr

In meine Heimat kam ich wieder,
Es war die alte Heimat noch,
Dieselbe Luft, dieselben Lieder,
Und alles war ein andres doch.

Die Welle rauschte wie vor Zeiten,
Am Waldweg sprang wie sonst das Reh,

(1) Als wenn wir alle *Gevattern* (gut befreundet) wären, also ganz ungezwungen und herzlich. (2) Verstehe: Sollte ich auch draußen hoch emporsteigen, dort blieben die Menschen, wenn ich zu ihnen zurückkäme, mir gegenüber ganz dieselben. (3) Es ist mir, als wenn alles, was ich weit von hier erlebt habe, nur ein Fiebertraum gewesen wäre.

Von fern erklang ein Abendläuten,
Die Berge glänzten aus dem See.

Doch vor dem Haus, wo uns vor Jahren
Die Mutter stets empfing, dort sah
Ich fremde Menschen fremd gebahren [1];
Wie weh, wie weh mir da geschah!

Mir war, als rief' es aus den Wogen:
Flieh', flieh', und ohne Wiederkehr!
Die du geliebt, sind fortgezogen
Und kehren nimmer, nimmermehr.

Hermann Lingg

(1) Sich benehmen, tun.

XI. DER SOLDAT

1. Der Soldat

Es geht bei gedämpfter Trommel Klang;
Wie weit noch die Stätte[1]! der Weg wie lang!
O wär' er zur Ruh' und alles vorbei!
Ich glaub' es bricht mir das Herz entzwei!

Ich hab' in der Welt nur ihn geliebt,
Nur ihn, dem jetzt man den Tod doch gibt.
Bei klingendem Spiele[2] wird paradiert,
Dazu bin auch ich kommandiert.

Nun schaut er auf zum letztenmal
In Gottes Sonne freudigen Strahl, —
Nun binden sie ihm die Augen zu, —
Dir schenke Gott die ewige Ruh'!

Es haben die neun wohl angelegt,
Acht Kugeln haben vorbeigefegt[3];
Sie zitterten alle vor Jammer und Schmerz —
Ich aber, ich traf ihn mitten ins Herz.

Adalbert von Chamisso

2. Reiters Morgenlied

Morgenrot,
Leuchtest mir zum frühen Tod?
Bald wird die Trompete blasen,
Dann muß ich mein Leben lassen,
Ich und mancher Kamerad!

(1) Die Richtstätte, wo man den Soldaten erschießen soll. (2) "With drums and fifes." (3) Trafen ihn nicht.

Kaum gedacht,
War der Lust ein End' gemacht.
Gestern noch auf stolzen Rossen,
Heute durch die Brust geschossen,
Morgen in das kühle Grab!

Ach, wie bald,
Schwindet Schönheit und Gestalt!
Tust du stolz mit [1] deinen Wangen,
Die wie Milch und Purpur prangen [2]? —
Ach! die Rosen welken all'!

Darum still,
Füg' ich mich, wie Gott es will.
Nun, so will ich wacker streiten,
Und sollt' ich den Tod erleiden,
Stirbt ein braver Reitersmann.

Wilhelm Hauff

3. Soldatenliebe

Steh' ich in finstrer Mitternacht
So einsam auf der fernen Wacht,
So denk' ich an mein fernes Lieb,
Ob mir's auch treu und hold verblieb.

Als ich zur Fahne fortgemüßt,
Hat sie so herzlich mich geküßt,
Mit Bändern meinen Hut geschmückt
Und weinend mich ans Herz gedrückt!

Sie liebt mich noch, sie ist mir gut,
Drum bin ich froh und wohlgemut;

(1) Bist du stolz auf . . . (2) "To be resplendent."

Mein Herz schlägt warm in kalter Nacht;
Wenn es ans treue Lieb gedacht.

Jetzt bei der Lampe mildem Schein
Gehst du wohl in dein Kämmerlein
Und schickst dein Nachtgebet zum Herrn,
Auch für den Liebsten in der Fern'!

Doch wenn du traurig bist und weinst,
Mich von Gefahr umrungen [1] meinst,
Sei ruhig, bin in Gottes Hut,
Er liebt ein treu Soldatenblut.

Die Glocke schlägt, bald naht die Rund'
Und löst mich ab [2] zu dieser Stund';
Schlaf' wohl im stillen Kämmerlein
Und denk' in deinen Träumen mein [3]!

Wilhelm Hauff

4. Der gute Kamerad

Ich hatt' einen Kameraden,
Einen bessern findst du nit.[4]
Die Trommel schlug zum Streite,
Er ging an meiner Seite
In gleichem Schritt und Tritt.

Eine Kugel kam geflogen,
Gilt es mir oder gilt es dir?
Ihn hat sie weggerissen,
Er liegt mir vor den Füßen,
Als wär's ein Stück von mir.

(1) *Umringen* wird nur in gehobenem Stil stark konjugiert. (2) *Eine Schildwache ablösen,* "to relieve guard." (3) Siehe S. 1, Anm. 3. (4) Nicht.

Will mir die Hand noch reichen,
Derweil ich eben lad'.[1]
" Kann dir die Hand nicht geben,
Bleib' du im ew'gen Leben
Mein guter Kamerad."

Ludwig Uhland

5. Tod in Ähren

Im Weizenfeld, in Korn und Mohn,[2]
Liegt ein Soldat, unaufgefunden,
Zwei Tage schon, zwei Nächte schon,
Mit schweren Wunden, unverbunden.

Durstüberquält [3] und fieberwild,
Im Todeskampf den Kopf erhoben,
Ein letzter Traum, ein letztes Bild ;
Sein brechend Auge schlägt nach oben.[4]

Die Sense surrt im Ährenfeld,
Er sieht sein Dorf im Arbeitsfrieden,
Ade, ade, du Heimatwelt —
Und beugt das Haupt, und ist verschieden.[5]

Detlev von Liliencron

6. Siegesfest

Flatternde Fahnen
Und frohes Gedränge.
Fliegende Kränze
Und Siegesgesänge.

(1) Während ich gerade mein Gewehr lade. Dies war damals (um 1850) mit den sogenannten Vorderladern (" muzzle-loaders ") noch sehr umständlich. (2) Mohnblumen. (3) Die Vorsilbe *über* verstärkt die Bedeutung des Zeitwortes : von brennendem Durst gequält. (4) Schlägt den Blick aufwärts. (5) Gestorben.

Schweigende Gräber,
Verödung und Grauen.
Welkende Kränze,
Verlassene Frauen.

Heißes Umarmen
Nach schmerzlichem Sehnen,
Brechende Herzen,
Erstorbene [1] Tränen.

Detlev von Liliencron

7. Soldatenabschied

Laß mich gehn, Mutter, laß mich gehn!
All das Weinen kann uns nichts mehr nützen,
Denn wir gehn das Vaterland zu schützen!
Laß mich gehn, Mutter, laß mich gehn.
Deinen letzten Gruß will ich vom Mund dir küssen:
Deutschland muß leben, und wenn wir sterben müssen!

Wir sind frei, Vater, wir sind frei!
Tief im Herzen brennt das heiße Leben,
Frei wären wir nicht, könnten wir's nicht geben.
Wir sind frei, Vater, wir sind frei!
Selber riefst du einst in Kugelgüssen [2]:
Deutschland muß leben, und wenn wir sterben müssen!

Uns ruft Gott, mein Weib, uns ruft Gott!
Der uns Heimat, Brot und Vaterland geschaffen,
Recht und Mut und Liebe, das sind seine Waffen,
Uns ruft Gott, mein Weib, uns ruft Gott!
Wenn wir unser Glück mit Trauern büßen:
Deutschland muß leben, und wenn wir sterben müssen!

(1) Von Menschen, die zum Tode betrübt sind, vergossene. (2) Im Kugelregen. Der Einberufene von 1914 erinnert den Vater an den siebziger Krieg, in dem letzterer Mitkämpfer war.

Tröste, dich, Liebste, tröste dich!
Jetzt will ich mich zu den andern reihen,
Du sollst keinen feigen Knechten [1] freien!
Tröste dich, Liebste, tröste dich!
Wie zum ersten Male wollen wir uns küssen:
Deutschland muß leben, und wenn wir sterben müssen!

Nun lebt wohl, Menschen, lebet wohl!
Und wenn wir für euch und unsere Zukunft fallen,
Soll als letzter Gruß zu euch hinüberhallen:
Nun lebt wohl, ihr Menschen, lebet wohl!
Ein freier Deutscher kennt kein kaltes Müssen [2]:
Deutschland muß leben, und wenn wir sterben müssen!

Heinrich Lersch

8. Auf dem Marsch

September 1914 — *durch die Vogesen*

Der Eichwald rauscht uns einen Marschgesang:
Es schmettert drin von Sieg und Wiederkehr.
Nur manchmal summt's wie Totenglockenklang, —
Und der es fühlt, dem wird die Seele schwer.

Auch mancher hört, wie sich ein Ton draus schwingt,
Ein alter, traurig-lieber Heimatton . . .
Dem wird's, wie wenn ihm seine Mutter singt:
"Breit' aus die Flügel über meinen Sohn!"

Den Wald umloht [3] ein tiefes Abendrot.
Am Wege, den wir gehen, blüht ein Grab.
"Hier starb ein Hauptmann seinen Heldentod!" —
Ruft unser Leutnant, "Nehmt die Helme ab!"

(1) Hier ausnahmsweise schwach dekliniert. (2) Verstehe: der Wille zum Opfer ist auch dabei. (3) Umringt mit *lohendem* (flammendem) Schein.

Und weiter — — weiter — — in die Nacht hinein,
In irgend eine, in die letzte Nacht?
"Herr, wie du willst! so mag es mit mir sein;
Doch über meinen Liebsten halte Wacht!"

Wir machen Rast und legen uns zur Ruh'.
Der Mut ist müd'. Doch meine Sehnsucht nicht.
Sie fliegt nach einem fernen Ziele zu,
Sie fliegt aus dieser dunklen Nacht ins Licht.

Paul Ernst Köhler

9. Im Schützengraben

In Frankreichs Erde haben
Wir uns hinabgewühlt
Und lauern im Schützengraben,
Von welscher [1] Erde durchkühlt.

Wir lauern nachtdurchfrostet
Und regenüberbraust,
Die treue Büchse rostet,
Am Kolben liegt die Faust.

Wir lauern am Waldesrasen,
Altweibersommer weht,[2]
Der Mond baut Silberstraßen
Zum Feind, der drüben steht.

Wir liegen wie in Grüften [3]
Unter Mond- und Sonnenschein
Und saugen das fremde Düften
Der welschen Erde ein.

(1) *Welsch*—Siehe S. 136, Anm. 3. (2) Sommerfäden ("gossamer-threads") schweben in der Luft. (3) Gräbern.

Granaten gurgeln [1] und krachen
Und streuen Tod umher,
Wir lauern und warten und wachen,
Die Augen werden uns schwer.

Wir hören des Nachts im Walde
Die Totenkäuze [2] schrei'n ;
Der Graben kann uns, wie balde,
Zum Grab bereitet sein.

Die Nebel fallen und steigen,
Die Blätter treiben ihr Spiel.
Herz, Herz, du solltest schweigen
Und redest, ach, so viel !

Herz, Herz, warum dich kränken
Mit Schatten goldener Zeit ?
Du sollst nichts andres denken
Als deines Volkes Leid !

Wir mögen in Lumpen lungern [3]
Durch Frost und Feindesland,
Nur du, du sollst nicht hungern,
Mein Volk und Vaterland !

Walter Flex

10. Soldatentraum

In einem Russendorfe zog
Ich nachts die Reiterstiefel aus
Und fiel in einen Traum und flog
Auf Kinderschuh'n ins Elternhaus.

(1) Dieses Wort gibt malerisch den schlürfenden, wirbelnden Laut der sich durch die Luft schraubenden Granate wieder. (2) *Der Kauz*, eine Art Eule. (3) Herumschlendern.

Die Türen gingen auf und zu,
Von Kinderhänden leicht bewegt,
Als atmete in süßer Ruh'
Das Haus, vom Leben frisch durchregt.[1]

Ich war in meines Vaters Haus
Von Dämmerung zu Dämmerung,[2]
Und lief im Spiel türein türaus,
An Blut und Gliedern knabenjung.

Ich war daheim und war ein Kind,
Doch als das Feld sich kaum bereift,[3]
Hat mir der kühle Morgenwind
Die Kinderschuhe abgestreift.[4]

Ich lag im Stroh, des Königs Mann,
Fremd, tot und öde war das Haus.
Ich zog die Reiterstiefel an
Und ritt ins Morgenrot hinaus.

Walter Flex

11. Die Glockenkanonen [5]

Im Gestühl [6]
Hoch über dem wimmelnden Weltgewühl
Sind sie fünfhundert Jahre gehangen.
Wiege und Totenschrein [7]
Ging in ihr klingendes Glockenleben ein
Und schlief, in ihrem Schall gefangen.[8]

(1) *Durchregen,* mit regem Leben durchdringen. (2) Die ganze Nacht hindurch, im Traume nämlich. (3) Mit *Reif* (gefrorenem Tau) bedeckt (hatte), (4) Ausgezogen (eigentlich: "stripped off"). (5) In den letzten Monaten des Weltkriegs waren, wegen der Blockade, Kupfer und Bronze in Deutschland so knapp, daß man, zur Herstellung von Kriegszeug, die Glocken, Türklinken, Hausgeräte usw. einschmelzen mußte. (6) Im Glockenstuhl. (7) Sarg. (8) Verstehe: bei jeder Geburt und jedem Sterbefall haben die Glocken geläutet.

Diese wilde Zeit
Reißt die Glocken vom Turm,
Stellt sie als Haubitzen [1] bereit
Für den wirbelnden Frühlingssturm.
Über des Krieges Blutaltar
Dröhnt die Kanone, die einst Glocke war.

Als der Kanonier den ersten Schuß abreißt,[2]
Lauscht die Welt.
Aus dem Rohr
Schwingt sich mit Kraft hervor
Umgewandelter Glockengeist
Und läutet und gellt.
Allen Kanonen, Haubitzen und Mörsern [3] entquillt
Gesang
Und herrlicher Klang.
Mit Macht
Ist in jedem Geschütz die Glocke erwacht,
Die klingt und klagt und jubelt über der Schlacht.
Himmel und Land
Sind in den einen Ton gebannt,[4]
Hallen wieder von dem urewigen Glockenliede:
Friede! Friede!

Karl Bröger

12. Spielmanns Tod

Die Schlacht ist aus, ein Tag zu End',
Es reichen Freunde sich die Händ',
Dann ward zwei-, dreimal abgezählt,[5]
Gar mancher fehlt, gar mancher fehlt.

(1) Ein großes Geschütz ("howitzer"). (2) Abfeuert. Das Gewehr *zieht* man *ab*. Zum Abfeuern der Kanone ist eine größere Anstrengung erforderlich; daher *reißen*. (3) *Der Mörser*, ein grobes Geschütz zum Bombenwerfen ("mortar"). (4) Wie durch Zaubermacht eingeschlossen. (5) Abzählen, "calling over the muster-roll,"

Und mit dem nächsten Morgengraus [1]
Die Krankenträger zogen aus.
Wen bringen sie so bang und schwer
Auf blutbefleckter Bahre her?

Der Spielmann ist's, mein Kamerad,
Der hier den Tod erlitten hat.
Ich schau' ihm still ins Angesicht,
Er sieht mich nicht, er sieht mich nicht.
Wir legten ihn ins kühle Grab,
Daß er sein Ruhebette hab'.
Und wenn ich dran vorübergeh',
Wird mir's im Herzen weh, so weh.

Aufs Grab, mit Blumen überdeckt,
Ward noch ein Kreuzlein aufgesteckt.
Gott gebe ihm die ew'ge Ruh',
Laßt singen uns ein Lied dazu.
Wer weiß, ob nicht schon diese Nacht
Die Kugel uns ein Ende macht?
Man gräbt uns ein im grünen Wald,
Wer weiß wie bald, wer weiß wie bald.

Gedichtet von Soldaten der 6. *Komp. des* 107 *Reserve-Regiments anläßlich der Beerdigung ihres gefallenen Hornisten Klein*

13. Soldatengrab

Ein schlichtes Kreuz
Zwischen zwei Ackerfalten . . .
Bald schneit's
Und deckt die letzte Spur

(1) Morgengrauen. Der Tag *graut,* es wird hell.

Von einem, der zur Fahne schwur
Und seinen Schwur gehalten.

Der Regen wusch den Namen ab,
Verloren und vergessen — —
Soldatengrab! Soldatengrab,
Das keine Tränen nässen!

Hugo Zuckermann
(im Weltkrieg gefallen)

GLOSSARY

A

das **Abendläuten,** ringing of evening bells
das **Abenteuer,** adventure
der **Abgrund,** abyss, gulf
abkehren, turn aside
der **Abschied,** parting, farewell, leave
abwenden, turn aside
die **Achsel,** shoulder
achten, heed, give heed to
die **Ackerfalte,** furrow
ackern, plough, till a field
adlermutig, with an eagle's courage
adlig, noble
der **Ahn,** ancestor
ahnen, have a vague idea or a foreboding, guess
der **Ahnherr,** ancestor
ahnungsbang, with anxious foreboding
ahnungsvoll, full of vague foreboding or promise
die **Ähre,** ear (of corn)
die **Allee,** avenue
allerorten, everywhere
allzeit, at all times, always
allzumal, all at once, all together
der **Amboß,** anvil
die **Amsel,** blackbird
anbequemen, adapt, accommodate
anbeten, worship, adore
die **Andacht,** devotion
das **Angesicht,** face
sich **angewöhnen,** accustom oneself to
der **Angriff,** attack
ängstlich, anxious
anklagen, accuse
ankünden, announce
anlegen, aim
sich **anschließen,** attach oneself ; join
anstimmen, begin (to sing or sound)
das **Antlitz,** face
anziehen, attract
der **Anzug,** suit
arglos, guileless, unsuspecting
artig, polite, wellbred, nice
das **Ästchen,** *dimin. of* der Ast, bough, branch
der **Atem,** breath
atemlos, breathless
der **Atemzug,** (drawing of) breath
atmen, breathe
das **Auferstehn,** resurrection
aufgeregt, excited, disturbed
der **Aufruf,** call, appeal
aufrufen, summon, call

aufschlagen, open (a book)
sich **aufschwingen,** soar upwards
der **Augenblick,** moment
das **Augenlid,** eyelid
es ist **aus** mit mir, all is up with me, this is my end
auslöschen, go out, be quenched, die
die **Ausnahme,** exception
ausschwatzen, blab out, spread by gossip
außer sich, beside oneself
aussingen, finish singing
austilgen, destroy, efface

B

das **Bächlein,** *dimin. of* der Bach, brook
das **Bäckchen,** *dimin. of* die Backe, cheek
die **Bahn,** path, way
bahnen, make a way
die **Bahre,** bier, stretcher
ballen, clench
der **Band,** volume, book
das **Band,** ribbon; link, bond
bangen, be anxious, worry
beben, tremble, quiver
der **Becher,** cup, goblet
bedauern, pity, sympathise with
bedenklich, serious, thoughtful
bedeuten, mean, signify; bedeutend, significant, full of meaning
bedrängt, oppressed
die **Beere,** berry
befehlen, order, enjoin
beflügeln, wing, lend wings to
begehren, desire, crave
begeistern, inspire
begraben, bury, inter
begreifen, grasp, comprehend
behaglich, at ease, comfortable
das **Beispiel,** example
bellen, bark
bergen, conceal, hold
bereift, covered with hoar frost
der **Bergeshang,** mountain side
der **Bernstein,** amber
berücken, beguile
bescheiden, assign, allot
beschirmen, protect, guard
beschließen, end, conclude
der **Beschützer,** guardian, protector
beseelt, inspired
besinnen, deliberate, reflect
bestellen, order, arrange
bestimmen, settle, arrange
betäuben, stupefy, bewilder, intoxicate
beten, pray
betrachten, regard, consider
betrübt, sorrowful, grieved
betteln, beg, entreat
der **Bettler,** beggar
beugen, bend, bow
bewachsen, overgrown

bewahren, guard
bewegen, move
bezwingen, subdue, master
bieten, offer
der **Birnbaum**, pear-tree
ein **Bißchen**, a little
bisweilen, sometimes
blähen, puff up, swell
blank, bright, bare
blasen, blow
blaß, pale
das **Blatt**, leaf
bleich, pale
blenden, dazzle
der **Blitz**, lightning
blitzen, flash, sparkle
das **Blut**, blood ; creature
blutbefleckt, blood-stained
die **Blüte**, blossom, flower
bluten, bleed
der **Bogen**, sheet (of paper); vault, arch
bohren, burrow, worry out
die **Botschaft**, message, tidings
braten, roast, be scorched
brauen, brew
braunbesegelt, with brown sails
das **Brett**, board, plank
briet, *imperf. of* braten
das **Brösel**, crumb
brüten, brood
die **Buche**, beech
die **Büchse**, rifle, gun
der **Buchstabe**, letter
bücken, bend, bow
bunt, gay, bright
der **Burghof**, court of castle
der **Bursche**, (young) fellow, youth
büßen, pay (a penalty)

D

dahin, gone by, past
dämmern, grow dark, show dimly
die **Dämmerung**, twilight, dawn, dusk
der **Dampf**, steam
dämpfen, muffle, deaden
die **Dankesfeier**, thanksgiving festival
darauf, thereupon ; die Nacht d., the next night
darob=darüber, on account of it
das **Dasein**, existence, life
die **Dauer**, duration, permanence
der **Däumling**, Tom Thumb
das **Daunenbett**, feather bed
dazumal, then, in those days
decken, cover ; den Tisch d., lay the table
der **Degen**, sword
dehnen, stretch, extend
demutvoll, humble
deuten, show, guide
dicht, close
dichten, fancy, devise
die **Diele**, floor
die **Dirne**, girl, lass
der **Dom**, cathedral
dornig, thorny
der **Drache**, dragon
der **Draht**, wire
der **Drang**, pressure, turmoil ; urge, impulse
sich **drängen**, force one's way, thrust oneself
dräuen, threaten, menace
dreist, pert, with assurance

der **Dreizack**, trident
dringen, penetrate
droben, up above, on high
drohen, threaten, menace
drücken, press
der **Duft**, odour, perfume
duften, smell sweetly; duftend, fragrant
dulden, hold out, be patient
dumpf, dull, muffled
durchdringen, pierce, penetrate, pervade
durchforschen, search through, investigate
durchschauern, fill with awe
durchzittern, vibrate through, thrill
dürr, dry, sere
düster, dull, dim

E

die **Ebene**, plain
edel, noble
die **Edelheide**, heather
der **Edelstein**, precious stone, jewel
die **Edeltanne**, silver fir
ehrlich, honourable, honest
der **Eichwald**, oak wood
die **Eidechse**, lizard
eifrig, eager, diligent
eilen, hasten, hurry, scud
sich **einen**, join, unite with
einhalten, pause, stop
einhüllen, conceal, hold
einkehren, put up
einnehmen, capture, take possession of
einsam, alone, lonely
die **Einsamkeit**, solitude
einschenken, pour out
einschlummern, fall asleep
einstimmen, join in
eintönig, monotonous, ever with the same sound
eintreten, enter
einwiegen, rock or lull to sleep
einziehen, enter
der **Einzug**, entrance, entry
eisig, icy
eitel, vain, idle
das **Elend**, misery, distress
empfangen, receive, welcome
emporscheuchen, scare (up)
emportauchen, emerge
emsig, busy, eager, assiduous
eng, narrow
entbehren, do without
entdecken, discover
entfliehen, flee
entglimmen, become kindled, shine forth
entlaubt, leafless, without foliage
entquellen, pour or issue from
entschlafen, entschlummern, fall asleep
der **Entschluß**, resolve
entschuldigen, excuse
entspannen, unfold
die **Enttäuschung**, disillusion, disappointment
entweihen, profane, desecrate
entziehen, take away, deprive of, withdraw

entzücken, delight, entrance
entzünden, light, kindle
erbauen, edify
der **Erbe**, heir
erbeben, tremble, be thrilled
das **Erbteil**, inheritance
das **Erdenrund**, globe (of the earth)
erdröhnen, sound (loudly)
ergreifen, seize
erhalten, keep, preserve ; sich e., hold one's own
erheben, raise up, exalt
die **Erinnerung**, remembrance, memory
erkennen, recognise, know
erküren, choose
erlangen, reach
ernten, reap
erquicken, refresh
der **Ersatz**, compensation ; E. bieten, make up (for)
erschauen, behold, perceive
erschrecken, be frightened
erschüttern, shake, affect deeply, stir
erspähen, espy
erstarren, grow stiff, rigid
ertönen, resound
ertragen, bear, endure
erweichen, soften
erweisen, show, prove
das **Erz**, ore, brass
erzeugen, conceive, produce
die **Ewigkeit**, eternity ; in E., for evermore

F

die **Fackel**, torch
fahl, dun, pale
die **Fahne**, flag
falb, pale yellow, pale
die **Falte**, fold, wrinkle
der **Falter**, butterfly
der **Fang**, catch
färben, colour
fassen, conceive, grasp
fehlen, be lacking ; es fehlt daran, there is a lack of it
feierlich, solemn
der **Feiertag**, holiday, Sunday
feig, cowardly
feldeinwärts, across the country
der **Feldruf**, battle cry
der **Fels**, rock
die **Felsenflanke**, side or wall of rock
das **Felsenriff**, ledge of rocks, reef
die **Fensterscheibe**, window pane
fernher, from afar, from a distance
fertig, ready
feucht, damp, moist
feuchten, moisten
die **Fichte**, pine
der **First**, ridge, top ; belfry
flechten, weave, twine
flehen, entreat, implore
der **Fleiß**, diligence
flimmern, glitter, sparkle
flink, quick, swift, nimble
die **Flosse**, fin
flöten, play on the flute ; sing
flüchtig, fleeting, transitory

der **Flug**, flight, soaring
das **Flüglein**, *dimin. of* der Flügel, wing
flüstern, whisper
forschen, search, inquire
freien, woo
die **Freiheit**, freedom, liberty
die **Fremde**, foreign country, place other than home ; in die (or der) F., abroad
fressen, consume, devour
der **Friede**, peace
der **Friedhof**, cemetery
frieren, freeze
frischgemäht, new mown
die **Frist**, time, respite
frohgemut, cheerful, bright
fröhlich, happy, glad
frohlocken, exult, rejoice
fromm, devout, in holy mood ; good
fügen, fit, adapt
der **Fuhrmann**, carter, waggoner
die **Fülle**, fulness, abundance
der **Funke**, spark
funkeln, sparkle, glitter
das **Fünklein**, *dimin. of* Funke
die **Furche**, furrow
der **Fußtritt**, kick

G

die **Gasse**, lane
gastlich, as a guest
die **Gebärde**, gesture, manner, behaviour
das **Gebet**, prayer
das **Gebirge**, mountain range
das **Gebrechen**, defect, failing
das **Gedicht**, poem
das **Gedränge**, bustle, turmoil, crowd
die **Geduld**, patience
sich **gedulden**, be patient
die **Gefahr**, danger, peril
gefährlich, dangerous
das **Gefieder**, plumage, feathers
das **Gehege**, hedge, preserve
geheim, secret
das **Geheimnis**, secret
das **Gehirn**, brain, mind
gehorchen, obey
der **Geier**, vulture
geisterleis, silent as a ghost
gelassen, calm, composed
das **Geleit**, escort
gelinde, gently, softly
gelingen, succeed
gellen, sound loud and shrill
gelten, avail ; gilt es mir ? is it meant for me ?
das **Gemach**, room, chamber
gemein, common, mean
die **Gemeinde**, congregation
das **Gemurmel**, murmuring
das **Gemüt**, spirit, heart
gen=gegen, towards, to
genesen, recover, get well
das **Genick**, (nape of the) neck
genießen, enjoy
geraten, prosper, go right

das **Geräusch,** noise
gerührt, moved, touched
gesamt, whole, entire
die **Geschichte,** story
das **Geschick,** fate
die **Geschrift,** the Scriptures
geschwind, quick
der **Geselle,** fellow
das **Gespenst,** ghost, phantom
der **Gespiele,** playfellow
die **Gestalt,** form, shape, mien
gestehen, confess, avow
das **Gestirn,** star, constellation
das **Gewaffen,** coat of arms
gewaltig, mighty, powerful
das **Gewand,** garment, robe
das **Geweih,** horns, antlers
das **Gewicht,** weight
gewiß, certain, sure
das **Gewissen,** conscience
das **Gewitter,** thunderstorm
das **Gewölk,** (mass of) clouds
gierig, greedy, ravenous
der **Gipfel,** summit
der **Glanz,** splendour, brightness
glänzen, gleam, shine
glätten, smoothe
gläubig, faithful, devout
gleichen, resemble, be like
gleiten, glide
das **Glied,** limb, member
glimmen, gleam, glow
glockenrein, clear as a bell
glomm, *imperf. of* glimmen
die **Glut,** glow
die **Gnade,** mercy, grace
gönnen, not to envy or grudge, see with pleasure that another enjoys something
die **Gottheit,** deity, god
die **Gräbermale,** *a plur. of* das Grabmal, gravestone
gradaus, straight on
der **Gram,** grief, sorrow, affliction
grämen, grieve
die **Granate,** grenade, shell
grasen, graze
grauen, grow grey, pale; feel horror
der **Graus,** horror
grausen, feel horror, shudder
greis, old, hoary
die **Grenze,** frontier
grenzenlos, boundless
die **Grobheit,** roughness, brusqueness
grub, *imperf. of* graben, dig
grübeln, rack one's brain, brood
der **Grund,** soil; bottom; zu Grunde gehen, perish
grundlos, without cause or reason
grüngewölbt, with a green vault
die **Gunst,** favour
gütig, gracious, kindly

H

die **Habe,** possession, goods
der **Habicht,** hawk
der **Hagel,** hail
der **Hahn,** cock
hallen, resound
der **Halm,** blade, stalk

der **Halt**, hold, support
die **Harfe**, harp
sich **härmen**, worry, be distressed
harren, wait, be expectant
der **Haß**, hatred
häßlich, ugly
der **Hauch**, breath
das **Haupt**, head
der **Hauptmann**, captain
hausen, dwell
das **Heer**, army, host
hegen, cherish
hehlen, conceal, hold back
hehr, majestic, serene
die **Heide**, heath
heilig, holy
heilkräftig, **heilsam**, salutary, wholesome
heimlich, secret
heimsuchen, visit
das **Heimweh**, homesickness, nostalgia
heiser, hoarse
heiter, bright, glad
der **Held**, hero
die **Herberge**, inn
die **Hexe**, witch
hilfreich, helpful
der **Himmelspilger**, pilgrim to heaven
sich **hinabwühlen**, burrow down
hindrängen, urge, impel
hinreißen, transport, delight
hinüberhallen, sound or ring across
der **Hirtenbub**, shepherd boy
hochrecken, stretch high
die **Höhe**, height, hill
die **Höhle**, cavern
hold, gracious, friendly, lovely
die **Honigernte**, output of honey
horchen, listen
das **Hufeisen**, horseshoe
hügelhaft, as in hills
der **Hügelhang**, hillslope
huldigen, pay homage
hüllen, envelop, enclose
der **Hüter**, guardian, protector
hutsam, cautious

I

ihresgleichen, like to them, one of their number
immerdar, **immerzu**, evermore, continually
indessen, meanwhile
innig, sincere, hearty
die **Inschrift**, inscription
irdisch, earthly, of this world
irgendwo, anywhere, somewhere
irren, wander, stray
der **Irrtum**, error

J

die **Jahreswende**, turn of the year, new year
der **Jammer**, misery, sorrow
jauchzen, **jubeln**, exult, rejoice, shout for joy
die **Jugend**, youth
jüngst, lately, a little while ago
der **Junker**, master, youngster

K

der **Käfer**, beetle
kahl, bare, bald
der **Kahn**, boat
das **Kalb**, calf
der **Kamm**, comb
kämmen, comb
die **Kammer**, chamber, room
die **Kammerschwelle**, threshold of room
kämpfen, fight, combat
die **Kapelle**, chapel
karg, scanty
der **Kasten**, chest
keck, high-spirited, playful, pert
die **Kehle**, throat
kehren, turn, return
der **Keim**, germ, source
der **Kelch**, chalice
der **Kern**, kernel, marrow, force
die **Kerze**, candle; kerzengrad, straight as a dart; kerzenhell, lit up with candles
das **Kilo**, kilogram
das **Kinderwiegen**, rocking babies
der **Kirchhof**, churchyard
das **Kissen**, pillow
der **Klang**, sound, ringing
klappen, shut (with a bang)
das **Kleinod**, jewel, treasure
klingen, sound, ring
klirren, clink, jingle
die **Kluft**, ravine, chasm
klug, wise, shrewd, clever
der **Knecht**, servant, slave
knien, kneel
knirschen, crunch
das **Knopfloch**, buttonhole
die **Knospe**, blossom
knospen, bud forth
der **Kolben**, butt
kosen, talk fondly, make love
kosten, taste
die **Kraft**, strength, force
kränken, hurt, distress
der **Krankenträger**, stretcher-bearer
der **Kranz**, wreath
das **Kraut**, herb
die **Kreide**, chalk
der **Kreis**, circle, ring
kreischen, screech, scream
das **Kreuz**, cross
kriechen, creep
die **Kugel**, bullet
kühn, bold, daring
die **Kümmernis**, anxiety, sadness
die **Kunde**, news, tidings
künftig, future, coming
die **Kunst**, art

L

die **Labe**, refreshment, comfort, solace
laben, refresh, comfort
lächeln, smile
das **Lager**, bed
lallen, stammer, lisp
der **Landstreicher**, vagrant
langen, reach after, take up
langweilen, bore; sich l., be bored, lose interest
der **Lärm**, noise
lassen, let, leave
die **Last**, burden
lau, tepid, warm
das **Laub**, foliage, leaves

die **Laube,** arbour
lauern, watch, lie in wait
der **Laufkäfer,** ground-beetle
die **Laune,** humour, mood
lauschen, listen
die **Laute,** lute
lauter, nothing but, sheer ; pure, clear
lautlos, noiseless
leeren, empty
der **Leichenchor,** funeral dirge
leider, unfortunately, alas
leidvoll, sorrowful
leise, soft, low
die **Leistung,** performance, piece of work
lenken, guide, direct
der **Lenz,** spring
die **Lerche,** lark
der **Lerchenschlag,** lark's song
lesenswert, worth reading
leuchten, shine, gleam
der **Leuchtturm,** lighthouse
die **Leutseligkeit,** kindness, geniality, courteous ways
licht, bright
das **Lid,** eyelid
liefern (schlachten), fight
lind, gentle, soft
das **Lob,** praise
das **Loch,** hole
locken, allure, attract, tempt
das **Lockenhaupt,** curly head
lockig, curly
lodern, lohen, blaze
der **Lohn,** pay, reward
lohnen, reward
das **Lüftelein,** breeze ; *dimin. of* die Luft, air
lugen, look, spy
lügen, lie
lungern, idle about
das **Lustgetön,** joyous sounds

M

machtlos, powerless, impotent
mähenumwallt, with flowing mane
mählich, gradually
die **Mahnung,** admonition, warning
malen, paint
mangeln, be wanting
das **Märchen,** fairy tale
das **Märchenreich,** fairyland
das **Marmorbild,** marble statue
das **Maß,** measure
der **Matrose,** sailor
mattgedämpft, muffled
das **Maultier,** mule
mehren, increase
das **Menschengeschlecht,** human race
messen, measure
minder, less
mißgönnen, grudge
mißlingen, go wrong, turn out ill
mißtrauen, distrust
der **Mohn,** poppy
die **Möwe,** seagull
die **Mücke,** fly
das **Mühlenrad,** mill wheel
mühsam, laborious, with effort
munter, cheerful, gay

müßig, idle, indolent
der **Müßiggang**, idleness, indolence

N

nachtverirrt, lost or astray in the night
der **Nacken**, (nape of the) neck
nahen, approach, draw near
nähren, feed, keep
der **Narr**, fool
die **Narrheit**, folly, foolishness
der **Nebel**, fog, mist
die **Nebelhülle**, mist (as covering)
nebenan, in the next room
necken, tease
der **Neid**, envy
neidlos, without envy
neigen, bow, bend over
neugieren, look curiously, peep
neugierklug, curious and shrewd
nicken, nod
niedrig, low
nimmer, never
nirgends, nowhere
nützlich, useful

O

öde, deserted, desolate
der **Odem**, breath
der **Ofen**, stove
offenbaren, manifest, make clear
das **Opfer**, sacrifice, victim
der **Orden**, order, decoration
die **Orgel**, organ

P

paffen, puff, smoke
der **Panzer**, coat of mail
der **Pfad**, path
das **Pflaster**, pavement
pflegen, tend, care for
die **Pflicht**, duty
pflücken, pluck, pick
der **Pflug**, plough
die **Pforte**, door, gate
der **Pfriem**, bodkin
der **Pöbel**, mob
pochen, knock, tap
die **Pracht**, splendour
prahlen, boast
prangen, be splendid, make a brave show
prickelnd, sharp, pungent
probieren, try, taste
die **Puppe**, doll
die **Purpurtracht**, purple garb

Q

die **Qual**, torment, pain
quälen, torment
die **Quelle**, spring

R

raffen, gather up
ragen, stretch up
der **Rand**, edge, hem
der **Rasen**, turf
rasseln, rattle, clatter
raten, guess
rauben, rob
der **Rauch**, smoke
rauschen, rush, rustle, roar
regen, move, stir

der **Regen**, rain
der **Regenbogen**, rainbow
das **Reh**, roe, deer
das **Rehgehörn**, antlers (of deer)
das **Reich**, kingdom, realm
die **Reihe**, row, series
reißen, tear; **reißend**, furious, impetuous
die **Reue**, penitence, remorse
richten, judge
der **Riese**, giant
rieseln, trickle, purl
die **Rinde**, bark
die **Ritze**, crevice, crack
roh, rough
rosten, rust
rücken, move, advance
der **Rücken**, back
die **Rücksicht**, regard, consideration
das **Ruder**, oar
rühren, move, stir
rütteln, shake

S

der **Saal**, hall
sacht, soft, gentle
säen, saw
die **Säge**, saw
der **Samen**, seed
samten, velvet
samtumsäumt, bordered with velvet
sässig, sedentary, home keeping
saugen, suck
die **Säule**, column, pillar
der **Saum**, edge, hem
säuseln, murmur, whisper
der **Schall**, sound, noise
schallen, sound, ring
die **Schanze**, fort
der **Scharfblick**, keen sight
scharren, scrape
das **Schattenbild**, silhouette, outline
der **Schatz**, treasure
schätzen, esteem, appreciate
schauerlich, terrible
schaukeln, rock, toss
der **Schaum**, foam
schäumen, foam
die **Scheibe**, pane
scheiden, part, depart, separate
die **Scheidestunde**, hour of parting
das **Scheit**, log
der **Scheitel**, (crown of) head
schenken, give, present
scheu, shy, timid
die **Scheu**, shyness, reluctance
scheuchen, scare, drive away
scheuen, shrink from
das **Schicksal**, fate
der **Schienenstrang**, track, railway line
der **Schimmel**, white horse
schirmen, guard, protect
die **Schlacht**, battle
die **Schläfe**, temples
schläfern, lull, send to sleep
der **Schlag**, blow, beat
schlagen, strike; sing
die **Schlangenkönigin**, serpent queen
schlank, slim, slender
schleichen, creep
der **Schleier**, veil
schlicht, simple, homely
schlichten, settle, arrange
die **Schließe**, fastening, clasp

die **Schlucht**, ravine, glen, gorge
schlürfen, sip, drink in
der **Schlüssel**, key
das **Schlüsselloch**, keyhole
schmeicheln, flatter
der **Schmeichler**, flatterer
schmelzen, melt
der **Schmerz**, pain
der **Schmetterling**, butterfly
schmieden, forge
schmücken, adorn
schneien, snow
schnellen, spring, jump
der **Schnitter**, reaper, mower
schnitzen, carve
die **Scholle**, floe
der **Schoß**, lap, bosom
die **Schranken**, limits, confines
der **Schritt**, step, pace
schüchtern, shy
schuldig, guilty
schuldlos, guiltless, innocent
der **Schutt**, ruins
der **Schutz**, protection
schützen, guard, protect
der **Schützengraben**, trench
die **Schwalbe**, swallow
der **Schwall**, swell, surge
der **Schwamm**, sponge
schwank, supple, pliable
schwanken, sway, totter, wave
schweben, hover, float
schweifen, roam, stray
schweigen, be silent
schweigsam, silent, reserved
der **Schweiß**, sweat
schwermütig, sad, melancholy
schwindelnd, dizzy
schwinden, become less, disappear, depart
die **Schwinge**, pinion
schwirren, whir
der **Schwur**, oath
das **Segel**, sail
der **Segen**, blessing
sich **sehnen**, yearn, long
die **Sehnsucht**, longing, pining
das **Sehrohr**, telescope
die **Seele**, soul
die **Seide**, silk
selig, blessed, blissful
seufzen, sigh
der **Seufzer**, sigh
die **Sichel**, sickle
der **Sieg**, victory
der **Sinn**, mind, thoughts
sog, *imperf. of* saugen, suck
der **Sold**, pay
sondergleichen, matchless, peerless
der **Sommenfleck**, sun-spot
der **Sonntagswohlklang**, Sunday harmony
sonst, else
sorglich, anxious
sorglos, without a care
spannen, stretch
der **Spatz**, sparrow
der **Spiegel**, mirror
der **Spielgefährte**, playfellow
die **Spielkugel**, marble
der **Spielmann**, minstrel
sprießen, sprout, grow
der **Spriet**, bowsprit, spar
spröde, coy
die **Spur**, track, trace
spüren, feel
der **Stab**, staff, pointer
der **Stand**, position, point
standhaft, steadfast, constant
starr, stiff, rigid, obstinate
die **Stätte**, place

der **Staub**, dust
steigen, rise, climb, soar
die **Stelle**, place
das **Sterbegeläut**, knell
sterben, die
das **Sternenheer**, host of stars
der **Sternennebel**, nebula
sticken, embroider
stillen, appease, satisfy
die **Stillung**, appeasement
die **Stimme**, voice
die **Stirne**, forehead, brow
stöhnen, moan
stolz, proud
der **Storch**, stork
stören, disturb
der **Strahl**, beam, ray, flash
der **Strauch**, bush
der **Strauß**, nosegay, bunch of flowers
streben, strive, aspire
streichen, stroke
der **Streifen**, strip, streak
streifen, graze, pass lightly over
der **Streit**, conflict, strife
streiten, fight, contend
stricken, knit
strudeln, eddy, whirl
das **Stüblein**, *dimin. of* die Stube, room
stumm, mute, silent
stürzen, fall, be shed
summen, hum
die **Sünde**, sin
surren, hum, buzz, whir

T

die **Tanne**, fir
tappen, grope
die **Tasche**, pocket
tasten, grope, fumble
die **Tätigkeit**, activity
der **Tau**, dew
tauchen, dip, immerse
tauen, thaw
täuschen, deceive, delude
die **Täuschung**, delusion
tausendkehlig, from a thousand throats
teilen, part, cleave
der **Teppich**, carpet
teuer, dear
teuflisch, devilish
tiefversteckt, hidden deep
der **Tischler**, joiner, carpenter
toben, rage, storm
todesmutig, death defying
der **Todesschuß**, shot that kills
toll, mad, furious
der **Ton**, sound
das **Tongebraus**, ringing, clanging
der **Topf**, pot
der **Tor**, fool
das **Tor**, gate
törig, foolish
tosen, rage, roar
die **Totenbahre**, bier
der **Totengräber**, grave-digger
der **Totenkauz**, screech owl
traben, trot
träg, lazy, indolent
die **Träne**, tear
tränen, weep, shed tears
tränenfeucht, wet with tears
trappen, tramp
das **Trauerkleid**, mourning
traulich, homely, cosy
traut, dear, beloved
trefflch, excellent, admirable
trennen, part, separate

die **Treue**, constancy, fidelity
treugesinnt, loyal, faithful
treulos, faithless
trippeln, trip, trot
der **Tritt**, step
der **Trost**, comfort, solace
trösten, comfort
trotzig, defiant, insolent
trüb, dull, dim
trüben, dull, dim
die **Truhe**, shrine, coffin
der **Trunk**, drink
der **Trutz**, defiance, despite
der **Turm**, tower
der **Türmer**, warder of tower

U

übelnehmen, be offended or hurt
der **Überfluß**, abundance
überlassen, leave
die **Überlast**, excessive load, excess
überschneit, covered with snow
überwachsen, overgrown
übrig, over; das **Übrige**, the rest
umfangen, **umfassen**, embrace, encircle
umgestalten, transform
umhüllen, enfold
umringen, surround, beset
umschließen, enclose
umschlingen, clasp
umwandeln, transform
umziehen, surround, envelop
umzittern, tremble or flash around
unaufhaltsam, irresistible
unbequem, inconvenient, awkward
unbewußt, unconscious
unerhört, unheard of, unexampled
unerkannt, unrecognised
die **Unermeßlichkeit**, immensity, infinity
unermüdet, unwearying
unerträglich, unbearable
unfest, uncertain
das **Ungewitter**, (violent) storm
ungläubig, unbelieving
unglückselig, unhappy, unfortunate
die **Unmöglichkeit**, impossibility
die **Unschuld**, innocence
unsichtbar, invisible
unsterblich, immortal
unterdrücken, suppress
sich **unterfangen**, undertake
der **Unterlaß**, ceasing
unterlassen, fail to do
unterscheiden, distinguish
unverbunden, unbandaged
unverdrossen, unwearied
unverwandt, **unverwichen**, unmoved, fixed, steadfast
unverzagt, undaunted, undismayed, without fear
uralt, very ancient
der **Urwald**, primeval or virgin forest

V

das **Veilchen**, violet
die **Verbesserung**, improvement, betterment
verbinden, unite, combine
verbleiben, stay, remain
verblühen, fade
der **Verbrecher**, criminal, evil-doer
verderben, perish
verdrießlich, surly, peevish
verdunkeln, darken, obscure
verehren, venerate, adore
vereinigen, unite
verfallen, gone to ruin
der **Verfasser**, author
die **Vergangenheit**, past
vergeblich, vain
vergehen, pass away, be lost, perish
verglimmen, become extinguished
verharren, persist
sich **verirren**, go astray
verkehren, associate, frequent
verklären, transfigure, make bright
verkünden, announce
verkürzen, shorten
verleihen, confer, lend
verlocken, entice, allure
verlodern, blaze or pass away
vermählen, wed, combine
vermodern, crumble away
vernehmen, perceive, hear
die **Vernunft**, reason
vernünftig, sensible, reasonable
die **Verödung**, desolation, devastation
verraten, betray
verrichten, carry out, perform
verrinnen, pass away
versagen, refuse
versäumen, omit, neglect
verschämt, shy
verschleiert, veiled
verschließen, lock
verschlingen, swallow up, engulf
verschmelzen, melt away, blend
verschneit, covered with snow
verschweben, float away
verschwiegen, discreet, silent, secret
verschwinden, disappear, vanish
versinken, be lost
verstecken, conceal, hide
verstohlen, secret, stealthy
verstört, troubled, confused
verstreuen, scatter
vertrauen, trust, confide, entrust
vertraulich, intimate, friendly
vertrocknen, dry up
sich **verweben**, be interwoven, mingled
verwegen, bold, daring, reckless
verwehen, blow away, decompose, rot
verwinden, get over
die **Verwirrung**, confusion, disorder

verwittert, weather-beaten
verzagen, despair
das **Verzeichnis**, list
verzieren, decorate, adorn
vielzählig, numerous, repeated
vollenden, complete
die **Vollendung**, completion, perfection, maturity
vorbei, over, past
vorbeifegen, sweep or rush past
das **Vorbild**, model, ideal, type
der **Vorderhof**, forecourt
vorübereilen, **vorüberschießen**, hasten or rush past
vorzeiten, of yore, formerly

W

die **Wacht**, watch, guard
wacker, brave, honest
die **Wage**, scales, balance
wagen, dare
wählen, choose
wahllos, at random
der **Wahn**, delusion, fancy
wähnen, fancy
der **Waldessaum**, edge of wood
das **Waldrevier**, preserve
wallen, wander, flow, wave
walten, rule, sway
wandellustig, fond of wandering
die **Wange**, cheek
wanken, sway, reel
das **Wappen**, coat-of-arms
der **Wärter**, signalman
der **Wechselfall**, vicissitude, change
wechseln, change; **wechselnd**, in turn, alternately
wegreißen, snatch away
der **Wegweiser**, guide, signpost
wegziehen, go away, depart
wehen, blow, be blown, wave
wehklagen, lament, wail
die **Wehmut**, sweet sadness
sich **wehren**, defend oneself, resist
weibisch, womanish
die **Weide**, pasture
weiden, graze
weihen, consecrate, dedicate
weilen, dwell
weinen, weep, cry
die **Weise**, tune, melody
weisen, show
weitverträumt, dreamy, in a reverie
der **Weizen**, wheat
welken, wither
die **Welle**, wave
das **Weltgetrieb**, **das Weltgewühl**, world's bustle or turmoil
wenden, turn, direct, avert; **sich wenden**, change for the better
das **Wesen**, creature
der **Wetterschlag**, **der Wetterstrahl**, flash of lightning
widerstehen, resist
der **Wiederhall**, echo
die **Wiederkehr**, return
wiederkehren, return
wiegen, rock, move gently; weigh
das **Wiegenlied**, lullaby

wiewohl, although
die **Wildnis**, desert, wilderness
wimmeln, swarm, teem
der **Wimpel**, pennant, streamer
die **Wimper**, eyelash
der **Wink**, counsel, hint, advice
der **Winkel**, nook, angle
winken, beckon, call to
der **Wipfel**, (tree) top
wirbeln, whirl
wirken, have an effect
der **Wirt**, host
die **Woge**, wave
wohlgemut, cheerful, happy
der **Wohllaut**, harmony, melody
wölben, arch, vault
die **Wolke**, cloud
die **Wonne**, delight, bliss, rapture
wühlen, burrow
würdig, worthy
das **Würzlein**, *dimin. of* die Wurzel, root

Z

zagen, lack courage, be faint-hearted
zähe, tough, obstinate
zärtlich, tender, delicate
der **Zauber**, magic, spell
der **Zauberschein**, magic light or radiance
zaudern, hesitate
die **Zehe**, toe
das **Zeichen**, sign, token
zeitig, in time, betimes
das **Zelt**, tent
zerfließen, dissolve, melt away
zersplittern, break up, shiver
zerstreuen, scatter, disperse
zertreten, trample under foot
zeugen, produce, create
das **Ziel**, goal
zielen, aim
die **Zier**, ornament, beauty
die **Zierat**, ornament
zimmern, build, construct, set up
die **Zinne**, battlement
zirpen, chirp
zischen, hiss
die **Zitrone**, lemon
zittern, tremble
zögern, hesitate, delay
der **Zorn**, anger
zücken, flicker
zudecken, cover up, draw over
zufallen, be closed
der **Zug**, character; train
die **Zukunft**, future
zumachen, close, shut
zünden, light, kindle
zuppen, pull, pluck
zurecht kommen, get on, succeed
zürnen, be angry
zurückschlagen, turn down
die **Zuversicht**, confidence, trust
zuwenden, turn towards
zweierlei, of two kinds, unmatched
der **Zweifel**, doubt
der **Zweig**, branch
zweigen, branch
zwiefach, double
zwingen, compel, force
zwitschern, twitter

Printed by Turnbull & Spears
at Edinburgh in Great Britain